MÉTODO DIRECTO DE

CONVERSACIÓN EN ESPAÑOL

(NUEVA EDICIÓN)

LIBRO II

por

JUVENAL L. ANGEL

y

ROBERT J. DIXSON

PRENTICE HALL REGENTS, Englewood Cliffs, NJ 07632

Published by

Prentice-Hall, Inc.
A Division of Simon & Schuster
Englewood Cliffs, New Jersey 07632

Printed in the United States of America

ISBN   0-13-579442-0   01   *10-85*

INDICE

PREAMBULO A LA SEGUNDA EDICION

La comprobada eficacia y éxito de la primera edición nos ha impulsado a la preparación de la segunda, con la esperanza de que todos nuestros colegas y alumnos la encuentren de plena satisfacción. Hemos incorporado numerosas mejoras, sin apartarnos del propósito y plan originales.

Como antes, las lecciones de METODO DIRECTO 1 y 2 corresponden, una por una, a las de TESTS AND DRILLS IN SPANISH GRAMMAR. Esto permite que ambos libros, METODO DIRECTO DE CONVERSACION EN ESPAÑOL 1 y 2, puedan emplearse en conjunto con TESTS AND DRILLS IN SPANISH GRAMMAR en un programa unificado, o separadamente como textos auxiliares de conversación.

AL PROFESOR

La utilidad de este libro aumentará enormemente si se siguen las indicaciones siguientes:

1. Pida al alumno respuestas directas, completas y automáticas a todas las preguntas. Si las respuestas son lentas y vacilantes, repita la pregunta varias veces o exija más preparación de la tarea en casa.

2. Haga que los alumnos practiquen todas las preguntas varias veces en casa, preferentemente en voz alta. Nunca trabaje en la clase con material que los alumnos no hayan practicado ya en su casa, excepto para introducir la lección del día siguiente. Trate de obtener más práctica y velocidad con material conocido, ya que los ejercicios preparados con anticipación dan mejor resultado que el material que, por ser desconocido, confunde al alumno y causa demoras y pérdida de tiempo.

3. Altere todas las preguntas con pequeñas variaciones acerca del punto esencial. Si la pregunta es, "¿De qué color es su camisa?", pregúntele a otro alumno, "¿De qué color es su corbata?" y así sucesivamente. De esta manera no sólo se pueden formular muchas preguntas más sino que se hará la lección más amena y animada. Continúe preguntando en forma variada saltando de uno a otro, para que así todos estén siempre alerta y activos.

4. Cuando se haga uso de sujetos imaginarios, como "Juan" o "María" en una pregunta, substitúyalos por nombres de alumnos presentes en el aula. Haga cuantos cambios crea necesarios en el texto para darle un aspecto natural y práctico al material que se está usando.

5. Exíjales a los alumnos que cada día vengan preparados a hacer preguntas similares a las del libro; este sistema les dará más práctica en el arte de formular preguntas y en contestarlas.

LECCION 26

Profesor: —Es muy fácil formar el comparativo y el superlativo de los adjetivos en español. Para formar el comparativo añadimos la palabra *más* a la forma positiva —por ejemplo, *más grande, más importante, más interesante*—. Para formar el superlativo añadimos el artículo definido y la palabra *más* —por ejmplo, *el más grande, la más importante*—. Quizás ustedes pueden darme algunos ejemplos en oraciones. Juan, ¿cuál es la capital de los Estados Unidos?

Alumno: —La capital de los Estados Unidos es Washington.

Profesor: —¿Es Washington la ciudad más grande de los Estados Unidos?

Alumno: —No, Washington no es la ciudad más grande. La ciudad más grande de los Estados Unidos es Nueva York.

Profesor: —¿Es Nueva York más grande o más pequeña que Filadelfia?

Alumno: —Nueva York es más grande que Filadelfia.

Profesor: —Elena, ¿cuál es la ciudad más grande de México?

Alumno: —La ciudad más grande de México es la ciudad de México.

Profesor: —¿Es la ciudad de México más grande o más pequeña que Caracas?

Alumno: —La ciudad de México es más grande que Caracas.

Profesor: —Bien. Tenemos, por supuesto, unas cuantas formas irregulares como: de *bueno, mejor;* de *malo, peor,* etc. ¿Puede usted darme un ejemplo, Graciela?

Alumna: —Este es un *buen* libro, pero yo creo que aquél es *mejor* que éste.

Profesor: —¿Y quién puede decirme una oración usando *peor?* ¿Pedro?

Alumno: —¿Qué es peor, señor López, que morder una manzana y encontrar un gusano?

Profesor: —No sé, Pedro. ¿Qué es peor que morder una manzana y encontrar un gusano?

Alumno: —Peor es morder una manzana y encontrar medio gusano.

1

1. ¿Cómo formamos el comparativo de los adjetivos en español?
2. ¿Cómo formamos el superlativo de los adjetivos en español?
3. ¿Cuál es la forma comparativa del adjetivo *grande?* 4. ¿Cuál es la forma superlativa del adjetivo *importante?* 5. ¿Cuál es la capital de los Estados Unidos? 6. ¿Es Washington la ciudad más grande de los Estados Unidos? 7. ¿Cuál es la ciudad más grande de los Estados Unidos? 8. ¿Cuál es la ciudad más grande de México? 9. ¿Es la ciudad de México más grande o más pequeña que Caracas? 10. ¿Es la ciudad de México más grande o menos grande que Nueva York? 11. ¿Cuál es la forma comparativa del adjetivo *malo?* 13. ¿Hace hoy mejor o peor tiempo que ayer? 14. ¿Qué es peor, según Pedro, que morder una manzana y encontrar un gusano?

B. EJERCICIO ORAL

Este edificio es viejo. Este edificio es *más viejo* que aquél. Este edificio es *el más viejo* de esta calle. Esta calle es ancha. Esta calle es *más ancha* que aquélla. Esta calle es *la más ancha* de la ciudad.

En la ciudad de México hay muchos edificios antiguos. Algunos de los edificios, desde luego, son más antiguos que otros. El más antiguo es el Palacio de los Virreyes, que hoy es el Palacio Nacional. En la ciudad de México hay también muchos parques hermosos. Unos parques son más hermosos que otros. El más hermoso y más importante es el Parque de Chapultepec. La ciudad de México tiene dos partes, la parte vieja o antigua, y la parte nueva o moderna. En la ciudad de México hay muchas calles y avenidas famosas. La avenida más famosa de México se llama Paseo de la Reforma. Pero también hay otras avenidas anchas y hermosas, como la avenida Francisco I. Madero, la avenida Juárez y la avenida de los Insurgentes. Todas estas grandes avenidas empiezan en el Zócalo, el centro de la parte antigua.

1. ¿Es Juan más alto o más bajo que usted? 2. ¿Quién es el alumno más alto de su clase? 3. ¿Es esta lección más fácil o más difícil que la última lección? 4. ¿Cuál era para usted la lección más difícil de este libro? 5. ¿Hay muchos o pocos edificios antiguos en la ciudad de México? 6. ¿Cuál es el edificio más antiguo de la ciudad de México? 7. ¿Hay muchos o pocos

parques en la ciudad de México? 8. ¿Cuál es el parque más famoso de México? 9. ¿Cuántas partes tiene la ciudad de México? 10. ¿Hay muchas o pocas calles y avenidas famosas en México? 11. ¿Cuál es la avenida más famosa de México? 12. ¿Qué otras avenidas famosas de México puede usted nombrar? 13. ¿Dónde empiezan las grandes avenidas de México? 14. ¿Qué es el *Zócalo*?

C. REPASO

1. ¿Cuál es la ciudad más grande de Inglaterra? 2. ¿Cuál es la ciudad más grande de Francia? 3. ¿Es Nueva York más grande o más pequeña que Londres? 4. ¿De qué país es Caracas la capital? 5. ¿Es el mes de febrero más corto o más largo que el mes de enero? 6. ¿Cuál es el mes más corto del año? 7. Por regla general, ¿es el mes de julio más caluroso o menos caluroso que el mes de junio? 8. ¿Cuál es el mes más caluroso del año? 9. ¿Cuál es el mes más frío del año? 10. ¿Cuál es el mejor y más agradable mes del año para usted?

1. ¿Es éste su lapicero o el lapicero de Eduardo? 2. ¿Son éstos sus guantes o los de María? 3. ¿De quién son estas revistas? 4. ¿Es ése su lápiz o mi lápiz? 5. ¿Son ésos sus papeles o los de su hermano? 6. ¿Son aquellos libros más interesantes o menos interesantes que éstos? 7. ¿De quién es aquel automóvil que está en la calle? 8. ¿Qué día de la semana es hoy? 9. ¿Qué día de la semana fue ayer? 10. ¿Qué día de la semana fue anteayer? 11. ¿Qué hizo usted anoche? 12. ¿Qué hizo usted anteanoche? 13. ¿Qué va a hacer usted mañana? ¿Pasado mañana? 14. ¿Dónde estará usted mañana por la mañana? ¿Y mañana por la tarde? ¿Mañana por la noche? 15. ¿Cuánto tiempo hace que empezó usted a estudiar español? 16. ¿Cuánto tiempo hace que usted vio esa película? 17. ¿Cuánto tiempo hace que el señor Gómez fue a México? 18. ¿Cuánto tiempo hace que compró usted este libro?

VOCABULARIO: antiguo, formar, comparativo, superlativo, adjetivo, añadir, positiva, artículo, definido, quizás, oración, por supuesto, irregular, peor, morder, gusano, ancho, estrecho, luego (desde luego), hermoso.

Use las siguientes frases en oraciones:

por supuesto
unas cuantas
desde luego

por la mañana
(tarde, noche)
hace dos años
(tres días, una
semana)

LECCION 27

Cada país tiene su capital. En la capital está establecido el gobierno del país. Muchas veces la capital es la ciudad más grande e importante del país, pero no siempre. Por ejemplo, la capital de los Estados Unidos es Washington. Es una ciudad grande y hermosa. Tiene una población de más de un millón de habitantes, pero no es la ciudad más grande e importante de los Estados Unidos. Washington no es tan grande como Nueva York. Tampoco tiene tantos habitantes como Nueva York, que es hoy en día una ciudad de más de ocho millones de habitantes. Nueva York es la ciudad más grande e importante de los Estados Unidos.

Algunas de las capitales más notables de Europa son: Londres, París, Madrid, Roma, etc. Londres es la capital de Inglaterra. Madrid es la capital de España. París es la capital de Francia. Cada una de estas ciudades es grande e importante. También casi todas son hermosas y antiguas. Cada una ocupa en la historia un lugar importante y todavía conserva bien la cultura y tradiciones del país.

1. ¿En qué ciudad del país está establecido siempre el gobierno? 2. ¿Es la capital de un país siempre la ciudad más grande e importante de ese país? 3. ¿Cuál es la capital de los Estados Unidos? 4. ¿Es Washington tan grande como Nueva York? 5. ¿Cuál es la población de Washington? 6. ¿Tiene Washington tantos habitantes como Nueva York? 7. ¿Cuál es la población de Nueva York? 8. ¿Cuál es la ciudad más grande e importante de los Estados Unidos? 9. ¿Cuáles son algunas de las capitales más notables del mundo? 10. ¿Cuál es la capital de Francia? 11. ¿Cuál es la capital de España? ¿De Portugal? ¿De Italia? 12. ¿Qué lugar ocupa cada una de estas ciudades en la historia? 13. ¿Qué conserva bien cada una? 14. ¿Hay, por ejemplo, mucha o poca diferencia entre la cultura de Francia e Inglaterra?

B. EJERCICIO ORAL

Este cuento es *tan* largo *como* ése. Chicago no es *tan* grande *como* Nueva York. Eduardo habla español casi *tan* bien *como* el profesor. No puedo caminar *tan* a prisa *como* usted.

5

No tengo *tanto* dinero *como* él. Nadie tiene *tantas* amigas *como* Juan. Había *tantos* muchachos *como* muchachas en la fiesta de anoche. Hoy no hace *tanto* frío *como* ayer. Ahora no tengo *tanta* hambre *como antes*.

1. ¿Es la ciudad de México tan grande como Miami o más grande que Miami? 2. ¿Es usted tan alto como Graciela o más alto que ella? 3. ¿Habla usted español tan bien como Juan o mejor que él? 4. ¿Sabe usted tantas palabras en español como el profesor o menos que él? 5. ¿Hay tantas muchachas como muchachos en esta clase o hay más muchachas? 6. ¿Por qué no va usted al cine tan a menudo como antes? 7. ¿Por qué no visita usted a Juan con tanta frecuencia como antes? 8. ¿Tiene usted en la escuela tantos amigos como Eduardo o más amigos que él? 9. ¿Es el francés tan difícil de aprender como el español o más difícil? 10. ¿Por qué no tiene usted tanto dinero hoy como ayer? 11. ¿Vale este libro tanto como su libro? 12. ¿Estudia usted tanto como Pablo o menos que él?

C. REPASO

1. ¿De qué país es Caracas la capital? 2. ¿Es Bogotá la capital de Colombia o del Ecuador? 3. ¿Tiene Bogotá tantos habitantes como Medellín o menos habitantes? 4. ¿Cuál es la capital de Argentina? 5. ¿Cuál es la ciudad más grande y más importante de Brasil? 6. ¿Es San Juan la capital de Puerto Rico o de Costa Rica? 7. ¿Cuál es la capital de Panamá? 8. ¿Dónde está situada Panamá, en la América Central o en la América del Sur? 9. ¿Qué océanos se comunican por el Canal de Panamá? 10. ¿Está Brasil en la América del Norte o en la América del Sur? 11. ¿En qué parte de Suramérica está situado Chile? 12. ¿Cuál es la capital de Chile? ¿De México? ¿De Brasil? ¿De Canadá?

1. ¿Cómo se llama usted? 2. ¿Cómo se llama su amigo? 3. ¿Cómo se llama la capital de Cuba? 4. ¿Por qué se aburre usted a veces en el cine? 5. ¿Se aburre usted a veces en la clase de español o es siempre interesante? 6. ¿Se equivoca usted en la lección con mucha o poca frecuencia? 7. ¿Quién se equivoca más en la lección, usted o Juan? 8. ¿A qué hora se levanta usted todos

los días? 9. ¿Se lava usted las manos y la cara antes o después de desayunar? 10. ¿Se viste usted rápida o lentamente? 11. ¿A qué hora se acuesta usted todas las noches? 12. ¿Sale usted de la escuela inmediatamente después de la lección, o generalmente se queda hablando con sus amigos? 13. ¿Se usa la forma reflexiva con mucha o poca frecuencia en español? 14. ¿Se pone usted el sombrero antes o después de salir? 15. ¿Cuándo se quita usted el sombrero? 16. ¿En qué países de Suramérica se habla español? 17. ¿En qué país se habla portugués? 18. ¿Qué idiomas se hablan en estos países: Francia, Rusia, Italia, Portugal, Japón? 19. ¿Se peina Elena con mucho o con poco cuidado? 20. ¿Por qué le gusta a ella mirarse tanto al espejo?

VOCABULARIO: establecer, gobierno, población, habitante, tanto, notable, mundo, ocupar, todavía, conservar, cultura, tradición, situar, océano, conectar, canal, aburrirse, equivocarse, peinarse, espejo, lento.

Use las siguientes frases en oraciones:

muchas veces
por ejemplo
más *de* un millón
tan . . . . como
tanto . . . como

tan a menudo
con mucha frecuencia
estar situado
a veces

LECCION 28

Dos americanos en España

Hay otro cuento similar al de una lección anterior que también trata de las dificultades de personas que viajan por países extranjeros y que no hablan el idioma de esos países. Este cuento es acerca de dos americanos que viajaban por España. No hablaban ni una palabra de español. Un día el tren en que viajaban se paró, por algunas horas, en un pueblo pequeño para hacer reparaciones. Los dos americanos se bajaron del tren y pasearon por el pueblo para pasar el tiempo. Por fin entraron en un restaurante pequeño para comer algo. Sin embargo, la única palabra en el menú que ellos podían entender era café. Por eso pidieron café. El camarero les trajo el café en seguida. Pero les trajo café solo.

Los americanos, por supuesto, raras veces toman café solo. Ellos prefieren ponerle crema. Los dos hombres, desafortunadamente, no sabían la palabra crema. Hicieron algunos gestos con las manos, pero el camarero todavía no entendía lo que querían. Por fin, uno de los hombres dibujó la figura de una vaca en un pedazo de papel. Entonces, otra vez con gestos, ex-

8

plicó que la leche siempre viene de la vaca y de la leche se hace la crema. El camarero estudió el dibujo por un largo tiempo, entonces salió. Un poco más tarde volvió con dos billetes para una corrida de toros.

1. ¿Trata esta anécdota de dos americanos o de dos ingleses? 2. ¿Dónde viajaban los dos americanos? 3. ¿Hablaban ellos mucho o poco español? 4. ¿Dónde se paró el tren en que viajaban? 5. ¿Por qué se paró el tren? 6. Para pasar el tiempo, ¿qué hicieron los dos americanos? 7. ¿Dónde entraron por fin? 8. ¿Qué pidieron en el restaurante? 9. ¿Les trajo el camarero café con crema o café solo? 10. Por regla general, ¿qué prefieren los americanos, café solo o café con crema? 11. ¿Qué hicieron los americanos con las manos para hacer entender al camarero la palabra *crema*? 12. ¿Qué figura dibujó uno de los hombres? 13. Con otros gestos, ¿qué le explicó este hombre al camarero? 14. ¿Con qué volvió el camarero más tarde?

B. EJERCICIO ORAL

a) *La* madera es útil al hombre. *La* leche es buena para *la* salud.
Es *la* una. Son *las* doce.
El español es fácil; *el* francés es difícil. Hablan español. Quieren aprender francés.
Vamos a pasar nuestras vacaciones en México. Vivió muchos años en *el* Perú. Se habla portugués en *el* Brasil; pero no en *la* Argentina.
El señor Gómez y *la* señora Gómez van a ir a México. Me encontré en la calle con *el* señor Ramírez.

b) Yo *conozco* bien al señor Ramírez. El no *sabe* hablar inglés bien. Juan y Eduardo no *saben* bien sus lecciones hoy. *Conocí* al señor Ramírez mientras viajábamos por México. El *conoce* bien México. Juan dice que *conoce* bien a esa gente.

1. ¿Sabe usted bailar? 2. ¿Conoce bien al director de su escuela? 3. ¿Cuándo y cómo conoció usted a su amigo Juan? 4. ¿Qué idioma hablan en el Brasil? ¿En la Argentina? 5. ¿Es Caracas la capital de Venezuela o de Puerto Rico? 6. ¿Lee usted español con mucha o poca dificultad? 7. ¿Qué idioma se habla

en Portugal? ¿En el Canadá? ¿En la Argentina? ¿En México? 8. En el Perú se habla español. ¿Cierto? 9. ¿Está la Florida al norte o al sur de los Estados Unidos? 10. ¿Qué hora es? ¿Es ya la una? 11. ¿Es la leche buena o mala para la salud? 12. ¿Es el vino bueno o malo para abrir el apetito?

C. REPASO

1. ¿Toma usted mucho o poco café? 2. ¿Cuántas tazas de café toma usted cada día? 3. ¿Toma usted café solo o café con crema? 4. ¿Cómo se dice en inglés *café solo?* 5. ¿Puede usted hacerse entender ahora fácilmente en español? 6. ¿Pudieron hacerse entender en español los dos americanos de la anécdota de esta lección? 7. ¿Por qué tuvieron que hacer gestos con las manos? 8. ¿Por qué dibujó uno de los hombres la figura de una vaca? 9. ¿Es la vaca un animal doméstico o salvaje? 10. ¿Es la vaca un animal útil o inútil al hombre? 11. ¿Es el toro un animal fuerte o débil? 12. ¿En qué países hay corridas de toros?

1. ¿Cuántos días por semana tiene que ir usted a la escuela? 2. ¿Tiene que ir usted los sábados y los domingos? 3. ¿A qué hora tiene que levantarse usted todas las mañanas? 4. ¿A qué hora tuvo que levantarse usted ayer por la mañana? 5. ¿A qué hora tiene que salir usted de su casa todos los días? 6. ¿A qué hora tuvo que salir usted ayer? 7. ¿A qué hora tendrá que salir mañana? 8. ¿A qué hora tiene que llegar usted a la escuela todos los días? 9. ¿A qué hora tuvo que llegar usted a la escuela ayer? 10. ¿A qué hora tendrá que llegar mañana? 11. ¿Cuál es el primer mes del año? 12. ¿Cuál es el segundo mes del año? ¿El tercer mes? ¿El último mes? 13. ¿Cuál es el número ordinal que corresponde al número cardinal *siete?* 14. ¿Cuál es el número ordinal que corresponde al número cardinal *ocho?* 15. ¿Cuál es la asignatura que más le interesa a usted en la escuela? 16. ¿Cuál es la asignatura que menos le interesa a usted? 17. ¿Qué otras asignaturas, además del español, estudia usted en la escuela? 18. ¿Qué otros idiomas, además del español, habla bien el profesor? 19. ¿Qué otros días, además del jueves, tienen ustedes clases de sepañol? 20. ¿Cómo se traduce al inglés *por supuesto, sin embargo, no obstante?* 21. ¿Cómo se dice en español "I am very hungry"?

10

VOCABULARIO: similar, reparación, bajar, pasear, a través de, sin embargo, única, rara, desafortunadamente, gesto, figura, pedazo, billete, corrida, toro, cierto, ya, útil, inútil, débil, taza, abrir.

Use las siguientes frases en oraciones:

similar a	raras veces
acerca de	por fin
pasar el tiempo	por supuesto
en seguida	otra vez
entrar en	sin embargo

LECCION 29

Profesor: —Anoche corregí todas sus composiciones. Muchos de ustedes cometen errores porque no saben bien las partes de la oración. Ustedes no distinguen entre un adjetivo y un adverbio, entre *buen* y *bien*, por ejemplo. Elena, ¿qué es un adjetivo y qué es un adverbio?

Alumna: —Un adjetivo es una palabra que modifica un nombre. Un adverbio es una palabra que modifica un verbo, adjetivo u otro adverbio.

Profesor: —Déme un ejemplo ahora del uso de un adjetivo y un adverbio en una oración.

Alumno: —"Mi hermano es un buen alumno". *Buen* es un adjetivo porque modifica la palabra alumno. "Mi hermano habla bien español". *Bien* es un adverbio porque modifica el verbo *hablar*.

Profesor: —¿Cuántas partes de la oración hay en español, Graciela?

Alumno: —En la oración hay nueve partes.

Profesor: —Pedro, enumere las nueve partes de la oración.

Alumno: —Uno, dos, tres, cuatro, cinco . . .

Profesor: —No, Pedro. Yo quiero los nombres de las nueve partes de la oración. Nosotros ya tenemos adjetivos y adverbio. ¿Cuáles son las otras siete partes de la oración?

Alumno: —No lo sé, señor.

Profesor: —Las otras siete partes son: nombre, pronombre, verbo, artículo, preposición, conjunción e interjección. A propósito, Pedro, en la composición que usted tituló "Nuestro perro" usted cometió muchos errores. Además, su composición era también, palabra por palabra, exactamente igual a la de su hermana.

Alumno: —Es que nosotros escribimos acerca del mismo perro.

1. ¿Cuál es la definición de un adjetivo? 2. ¿Cuál es la definición de un adverbio? 3. ¿Es *buen* un adjetivo o un adverbio? 4. ¿Es *bien* un adjetivo o un adverbio? 5. ¿Cuántas partes de la oración hay? 6. ¿Cuáles son las nueve partes de la oración?

7. ¿Cuál fue el nombre de la composición que Pedro escribió?
8. ¿Tuvo Pedro muchos o pocos errores en su composición?
9. ¿Era la composición igual a la de su hermana o era diferente a la de ella? 10. ¿Cómo explicó Pedro el hecho de que su composición y la de su hermana eran exactamente iguales?

B. EJERCICIO ORAL

El profesor le dijo a Juan: "Tráigame un borrador". Más tarde dijo: "Hable un poco más despacio". Le dije al dependiente de la tienda: "Enséñeme unas camisas blancas". Elena me dijo: "Vaya a ver esa película, es muy buena".
El profesor nos dijo: "Vengan mañana a la clase un poco más temprano". También nos dijo: "Escriban sus composiciones con tinta". "Traten de cometer menos errores". "Pongan más atención al uso de los artículos". "Estudien bien las reglas gramaticales antes de escribir los ejercicios". "Tengan cuidado también con la pronunciación".
¡Tómelo! ¡No lo tome! ¡Siéntese aquí! ¡No se siente aquí! ¡Espéreme en la oficina! No me espere en la oficina! ¡Tráigame un borrador! ¡No me traiga un borrador! ¡Déselo a él! ¡No se lo dé a él! ¡Dígaselo a ella! ¡No se lo diga a ella! ¡Escríbasela ahora! ¡No se la escriba ahora!

Ponga en la forma imperativa, singular y plural: 1. (Decir) la verdad. 2. (Poner) sus libros sobre la mesa. 3. (Esperar) a mí después de la clase. 4. (Traer) a mí el dinero mañana. 5. (Escribir) a ella una carta. 6. (Mandar) a ellos los paquetes en seguida. 7. (Hablar) en español. 8. (Cerrar) la ventana. 9. (Hacer) a mí el favor de darle esto al profesor. 10. No (decir) a ella nada. 11. No (sentarse) aquí. 12. No (levantarse) tan temprano. 13. (Vestirse) pronto. 14. No (quitarse) el abrigo.

C. REPASO

1. ¿Cuál es la definición de un pronombre? 2. ¿Cuál es la definición de una preposición? 3. ¿Es *por* una conjunción o una preposición? 4. ¿Es *exacto* un adjetivo o un adverbio? 5. ¿Cuál es la forma adverbial de *exacto*? 6. ¿Cuál es la forma adverbial de *lento, fácil, bueno*? 7. ¿Cuántas partes de la oración hay en

13

inglés? 8. ¿Por qué hay solamente siete partes de la oración en inglés, mientras que en español hay nueve? 9. Enumere (pero no como Pedro lo hizo) las nueve partes de la oración en español. 10. ¿Comete usted muchos o pocos errores en sus composiciones? 11. ¿Cuál fue el título de su última composición? 12. ¿Cómo tituló Pedro la composición que él escribió?

1. ¿Es Juan un buen o un mal estudiante? 2. ¿Habla Juan español bien o mal? 3. ¿Prepara Juan generalmente sus lecciones bien? 4. ¿Tiene usted buena pluma? 5. ¿Escribe bien o mal su pluma? 6. ¿Es el radio que ustedes tienen en su casa bueno malo? 7. ¿Funciona su radio bien o mal? 8. ¿Habla su maestro español bien o mal? 9. ¿Es el señor López buen o mal maestro de español? 10. ¿Es usted buen bailarín? 11. ¿Baila usted bien o mal? 12. ¿Baila usted tan bien como Juan o menor que él? 13. ¿Adónde fue usted anoche? 14. ¿Qué hizo usted anteanoche? 15. ¿Qué va a hacer usted mañana? 16. ¿Qué va a hacer usted pasado mañana? 17. ¿Dónde estará usted mañana por la mañana? ¿Mañana por la tarde? ¿Mañana por la noche? 18. ¿Dónde estuvo usted ayer por la mañana? ¿Ayer por la tarde? ¿Ayer por la noche? 19. ¿Va usted con mucha o poca frecuencia a la administración de correos? 20. ¿Qué compra usted allí? 21. ¿Por qué tiene usted que hacer cola a menudo allí? 22. ¿Está el buzón en que usted echa sus cartas cerca o lejos de su casa?

VOCABULARIO: corregir, cometer, error, modificar, verbo, adverbio, enumerar, preposición, conjunción, interjección, propósito, titular, título, perro, exacto, igual, borrador, despacio, pronunciación, mandar, definición, funcionar.

Use las siguientes frases en oraciones:

cometer un error
partes de la oración
distinguir entre
palabra por palabra
igual a

a propósito
tener cuidado
en seguida
acerca de

LECCION 30

Diálogo

Profesor: —Buenos días, Juan.
Juan: —Buenos días, profesor.
Profesor: —¿Cómo está usted hoy?
Juan: —Muy bien, gracias.
Profesor: —¿Por qué estuvo usted ausente ayer?
Juan: —Ayer estuve enfermo. Estaba resfriado.
Profesor: —¿Se siente usted mejor?
Juan: —Estoy bastante bien hoy. Profesor, quiero presentarle a mi amigo Luis Vargas. Luis es un nuevo alumno. (El señor López y Luis se dan la mano.)
Profesor: —Mucho gusto en conocerle, Luis.
Luis: —El gusto es mío, profesor López.
Juan: —Luis estudiará español en nuestra clase. El es de Boston.
Profesor: —¿Cuánto tiempo hace que estudia usted español, Luis?
Luis: —Hace dos años que estudio español. Pero todavía no lo he aprendido bien.
Profesor: —Parece que lo habla bastante bien. ¿Cuánto tiempo hace que está usted en Nueva York?
Luis: —Hace dos semanas que vine con mi familia.
Profesor: —Entonces hace poco que está aquí... Pues, estoy seguro de que aprenderá español rápidamente con nosotros.
Luis: —Gracias. Así lo espero.

1. ¿Qué es lo primero que le dice el profesor a Juan? 2. ¿Cómo le contesta Juan? 3. ¿Estuvo Juan ausente o presente ayer? 4. ¿Por qué estuvo ausente Juan? 5. ¿Cómo se siente Juan hoy? 6. ¿Qué dice el profesor cuando Juan le presenta a su amigo? 7. ¿Qué le contesta Luis al profesor? 8. ¿De dónde es Luis? 9. ¿Qué estudiará en la clase? 10. ¿Cuánto tiempo hace que Luis estudia español? 11. ¿Cómo habla Luis español, según el profesor? 12. ¿Cuánto tiempo hace que Luis está en Nueva York? 13. ¿Cuándo vino a Nueva York? 14. ¿De qué está seguro el profesor?

B. EJERCICIO ORAL

a) Yo *hablé* con Elena anoche. Yo *he hablado* con Elena. *Leí* ese libro el año pasado. *He leído* ese libro hace poco. María *estuvo* en el hospital dos meses el año pasado. María *ha estado* en el hospital diez días y saldrá mañana. Enrique *echó* la carta al correo anoche. Enrique *ha echado* la carta al correo. El *empezó* a estudiar español el año pasado. El *ha empezado* a estudiar español hace poco. *Viví* en México dos años (en 1929 y 1930). *He vivido* aquí dos años (todavía vivo aquí).

Yo *he hablado* con ella recientemente. Usted *ha hablado* con ella esta mañana. Juan no *ha hablado* todavía con ella. *Hemos hablado* con el profesor sobre ese asunto. Enrique y Jorge no *han hablado* todavía con él.

b) Hace tres meses que María está enferma. Hace dos años que viven en México. Hace dos horas que estamos aquí. Hace tiempo que no me siento bien. Hace tres días, nada más, que nos conocemos.

1. ¿Cuánto tiempo hace que usted estudia español? 2. ¿Cuánto tiempo ha estudiado usted español? 3. ¿Cuánto tiempo ha estudiado usted español con el profesor que tiene ahora? 4. ¿Cuánto tiempo estudió usted con el profesor que tenía anteriormente? 5. ¿Cuánto tiempo hace que usted conoce a su amigo Juan? 6. ¿Cuándo y dónde lo conoció usted? 7. ¿Cuántas lecciones de este libro ha terminado? 8. ¿Aproximadamente cuántas palabras en español ha aprendido usted hasta ahora? 9. ¿Ha leído usted algunas novelas en español? 10. ¿Cuánto tiempo ha usado este libro? 11. ¿Qué películas realmente buenas ha visto usted últimamente? 12. ¿Qué libros buenos ha leído usted últimamente?

C. REPASO

1. ¿Qué se acostumbra decir cuando a usted le presentan una persona? 2. ¿Qué dice usted cuando presenta una persona a otra? 3. ¿En qué caso da un hombre la mano a una señora cuando los presentan? 4. ¿Cómo se dice en inglés "dar la mano"? 5. ¿Le da usted la mano al profesor cuando lo ve por primera vez por la mañana? 6. ¿Cuántas veces ha ido usted

16

al cine esta semana? 7. ¿Cuántas veces fue usted al cine la semana pasada? 8. ¿Ha estado usted alguna vez en Costa Rica? 9. ¿Qué museos ha visitado usted últimamente? 10. ¿Cuántas clases de español ha tenido usted esta semana? 11. ¿Cuántas clases tuvo usted la semana pasada? 12. ¿Cómo se traduce al inglés "El habla español *bastante bien*"? 13. ¿Cuántos años hace que vive usted en esta ciudad? 14. ¿En qué ciudad nació usted?

1. ¿Cuánto tiempo le lleva a usted preparar sus lecciones cada noche? 2. ¿Cuánto tiempo le llevó anoche preparar sus lecciones? 3. ¿Cuánto tiempo le llevará preparar sus lecciones esta noche? 4. ¿Cuánto tiempo le lleva ir a pie a la escuela? 5. ¿Cuánto tiempo le lleva ir en autobús a la escuela? 6. ¿Lleva más tiempo ir en tren o en avión desde Nueva York a México? 7. ¿Cuánto tiempo lleva ir desde Nueva York a Miami en avión? 8. ¿Cuánto es el pasaje en avión desde Nueva York a Miami? 9. ¿Qué es más barato, un pasaje de ida o un pasaje de ida y vuelta? 10. ¿Ha viajado usted alguna vez en avión? 11. ¿Le gusta o no le gusta viajar en avión? 12. ¿Cuáles son las ventajas de viajar en avión? 13. ¿Cuáles son las desventajas? 14. ¿Cuáles son las ventajas de viajar en tren? 15. ¿Cuáles son las desventajas de viajar en tren? 16. ¿Ha viajado usted mucho en tren? 17. ¿Qué prefiere usted, viajar en tren o en avión? 18. ¿Qué viajes ha hecho usted en automóvil? 19. ¿Cuáles son algunas de las ventajas de viajar en automóvil? 20. ¿Cuáles son los inconvenientes? 21. ¿Le parece fácil o difícil esta lección? 22. ¿Le parecen fáciles o difíciles estas preguntas? 23. ¿Le parecen útiles o inútiles estas preguntas? 24. ¿Qué le parecen más interesantes, los diálogos o las anécdotas de este libro?

VOCABULARIO: resfriado, bastante, presentar, gusto, presente, secundaria, asunto, aproximadamente, novela, caso, museo, barato, ida, vuelta, ventaja, desventaja, inconveniente.

Use las siguientes frases en oraciones:

estar resfriado	llevar tiempo
cuanto tiempo hace	ida y vuelta
estar seguro de	nada más
lo primero	hasta ahora
dar la mano	alguna vez

LECCION 31

Una anécdota

Una vez se encontraba un hispanoamericano de visita en Nueva York. Quería dar un paseo para conocer la ciudad, pero temía perderse porque no sabía ni una palabra de inglés. Por eso, cuando salió de su hotel, se paró en la primera esquina y muy cuidadosamente apuntó en su libreta de notas el nombre de la calle donde estaba situado su hotel. Empezó a caminar. Finalmente se perdió. Algunas horas después llegó a una estación de policía, y después de una larga y confusa conversación llamaron a un intérprete. El hispanoamericano explicó al intérprete que aunque no sabía el nombre del hotel, por lo menos sabía el nombre de la calle donde el hotel estaba situado. En seguida mostró al intérprete lo que había escrito en su libreta. Las palabras que él había escrito tan cuidadosamente eran: "One Way Street".

1. ¿Dónde se encontraba un hispanoamericano de visita? 2. ¿Por qué quería él dar un paseo? 3. ¿Por qué temía perderse? 4. Después de salir de su hotel, ¿qué hizo en la primera esquina?

5. ¿En qué libreta apuntó el nombre de la calle donde estaba situado el hotel? 6. ¿Apuntó él este nombre con mucho o poco cuidado? 7. ¿Qué le pasó finalmente? 8. ¿Dónde llegó algunas horas más tarde? 9. ¿A quién llamaron en la estación de policía después de una larga y confusa conversación? 10. ¿Qué le explicó el hispanoamericano al intérprete? 11. ¿Qué le mostró al intérprete? 12. ¿Cuáles eran las palabras que él había escrito tan cuidadosamente?

B. EJERCICIO ORAL

Juan dijo que *había visto* esa película. Elena me dijo que ya *había mandado* el paquete. Cuando yo llegué, ellos ya *habían salido*. Nos *habían esperado* dos horas. El *había preparado* sus lecciones antes de salir. Eduardo insistió en que *había echado* la carta la noche anterior. Dijo que él *había estado* enfermo durante dos meses. El *había vivido* seis meses en Francia cuando empezó la guerra. Inmediatamente vi que *habíamos* tomado el autobús equivocado.

1. ¿Había estudiado usted español antes de venir a esta escuela? 2. ¿Cuánto tiempo lo había estudiado usted? 3. ¿A qué hora comió usted anoche? 4. ¿Había preparado usted sus lecciones antes de comer? 5. ¿Anoche a las ocho ya había cenado usted? 6. ¿Ya había usted desayunado cuando vino a la escuela? 7. ¿Había usted conocido a Juan antes de empezar a estudiar en esta clase? 8. ¿Había usted conocido al maestro anteriormente? 9. ¿Dijo Eduardo que había visto esa película o que no la había visto? 10. ¿Había llegado el cartero cuando usted salió de casa? 11. Cuando usted llegó a la clase esta mañana, ¿ya había llegado el profesor o no? 12. ¿Había salido el sol cuando se levantó usted?

C. REPASO

1. ¿Qué le gusta más a usted, dar un paseo por el campo o andar por las calles de la ciudad? 2. ¿Se ha perdido usted alguna vez en una ciudad grande? 3. ¿Lleva usted siempre consigo una libreta de notas? 4. ¿En qué bolsillo la lleva? 5. ¿Qué

es un intérprete? 6. ¿Cuál es la diferencia entre un intérprete y un traductor? 7. ¿Sabe usted ahora bastante español para servir de intérprete entre dos personas? 8. ¿Sabía mucho o poco inglés el hispanoamericano de la anécdota de esta lección? 9. ¿Es fácil o difícil perderse en Nueva York? 10. ¿Qué es una "one way street"? 11. ¿Por qué hay en Nueva York muchas "one way streets"? 12. ¿Cómo se traduce al inglés "El se perdió"? 13. ¿Cuál es la diferencia en español entre "el policía" y "la policía"? 14. Ha estado usted alguna vez en una estación de policía?

1. ¿Viaja usted en autobús a menudo? 2. ¿Cuántas veces ha viajado usted en autobús en esta semana? 3. ¿Paran los autobuses en todas las equinas o solamente en ciertas esquinas? 4. ¿Qué señales tienen, generalmente, las esquinas donde paran los autobuses? 5. ¿Hay que pagar siempre por las transferencias en el autobús o a veces son gratis? 6. ¿Le gusta o no le gusta a•usted visitar los museos? 7. ¿Ha visitado usted alguna vez el Museo Metropolitano en la ciudad de Nueva York? 8. ¿Qué museos famosos ha visitado usted? 9. ¿Ha estado usted alguna vez en Suramérica? 10. ¿Cuánto tiempo ha estudiado usted español? 11. ¿Cuánto tiempo hace que usted vive en su actual dirección? 12. ¿Cuánto tiempo vivió usted en su dirección anterior? 13. ¿Cuánto tiempo hace que usted conoce a su profesor de español? 14. ¿Había usted conocido a su profesor de español antes de empezar a estudiar en esta clase? 15. ¿Cuánto tiempo hace que usted estudia en esta escuela? 16. ¿Cuánto tiempo había usted estudiado español antes de empezar este curso? 17. ¿Cuántas veces a la semana estudia usted español? 18. ¿Estudió español ayer? ¿Estudiará español mañana? 19. ¿Hacía sol cuando usted se levantó esta mañana? 20. ¿Hacía sol cuando usted salió de casa? 21. ¿Ha hecho sol todos los días o ha llovido con frecuencia durante este mes? 22. ¿Hizo sol ayer? 23. ¿Qué tiempo hace hoy? ¿Hace frío? ¿Hace calor? 24. ¿Dijo el periódico de ayer que iba a hacer buen tiempo hoy?

VOCABULARIO: visita, temer, apuntar, libreta, policía, larga, confusa, conversación, intérprete, aunque, mostrar, guerra, cenar, cartero, servir, campo, señal, transferencia, gratis, actual, insistir.

20

Use las siguientes frases en oraciones:

de visita	insistir *en*
dar un paseo	*hay que* pagar
por lo menos	*tomar* el autobús
en seguida	*echar* una carta
con mucho cuidado	él se perdió

LECCION 32

El dinero del ciego

Juan de Timoneda, autor español del siglo XVI, cuenta que una vez un ciego escondió cierta cantidad de dinero al pie de un árbol en el campo de un labrador rico. Un día el pobre ciego fue a visitar su pequeño tesoro y no lo encontró. Alguien se lo había robado. Sospechoso el ciego de que el ladrón era el dueño del campo, se encaminó a casa del rico labrador y le dijo:

—Vengo a que me dé usted un consejo. Tengo una cantidad de dinero escondido en un lugar muy seguro. Ahora tengo ya más dinero para guardar, pero no sé si debo guardarlo en el mismo sitio o en otra parte. ¿Qué me aconseja usted?

El labrador, con los ojos brillantes de avaricia, le respondió:

—Si usted cree que el lugar donde tiene el dinero es seguro debe poner todo el dinero junto.

—Así lo haré —contestó el ciego. Creo que es un buen consejo. Y se fue.

El labrador corrió con el dinero del ciego al pie del árbol y lo volvió a depositar en el mismo lugar donde lo había encontrado.

Cuando llegó el ciego al pie del árbol y halló íntegro su dinero su alegró mucho. Escarmentado, no ocultó más dinero en ese sitio.

La avaricia sin escrúpulo del rico labrador recibió su castigo. 1. ¿Quién era Juan de Timoneda? 2. ¿Qué nos cuenta el autor acerca de un ciego? 3. ¿Quién era el dueño del campo? 4. ¿Qué pasó un día cuando el ciego fue a visitar su tesoro? 5. ¿De quién sospechaba el ciego? 6. ¿Adónde se encaminó? 7. ¿Qué le pidió el ciego al rico labrador? 8. ¿Qué dijo el ciego del lugar donde tenía escondido su dinero? 9. ¿Qué le aconsejó el labrador al ciego? 10. ¿Qué le contestó el ciego? 11. ¿Qué hizo entonces el labrador? 12. ¿Por qué se alegró mucho el ciego? 13. ¿Escarmentó el ciego? 14. ¿Escarmentó el labrador? 15. ¿Quién no tenía escrúpulos?

B. EJERCICIO ORAL

El escondió el tesoro. El tesoro *fue escondido* por él. El labrador robó el dinero. El dinero *fue robado* por el labrador. El escribió la carta. La carta *fue escrita* por él. Ella preparó la comida. La comida *fue preparada* por ella. Tradujimos el libro. El libro *fue traducido* por nosotros. Leyeron las lecciones. Las lecciones fueron leídas por ellos. El ha corregido las composiciones. Las composiciones *han sido corregidas* por él. Hemos hecho el ejercicio. El ejercicio *ha sido hecho* por nosotros. Los niños han abierto la ventana. La ventana *ha sido abierta* por los niños

El labrador había encontrado el dinero. El dinero *había sido encontrado* por el labrador. El ciego había perdido su fortuna. La fortuna *había sido perdida* por el ciego. Yo *fui castigado* por el maestro. Usted *fue castigado* también. Juan *fue castigado*. Nosotros *fuimos castigados*. Eduardo y Enrique *fueron castigados* por el maestro la semana pasada.

El *fue castigado* por el maestro. El *será castigado* por el maestro. El *ha sido castigado* por el maestro. El *había sido castigado* por el maestro muchas veces anteriormente.

1. ¿Quién entrega la correspondencia en su casa todos los días? 2. ¿Quién entregó la correspondencia en su casa ayer? 3. ¿Por quién fue entregada la correspondencia en su casa ayer? 4.

¿Por quién será entregada la correspondencia mañana? 5. ¿Quién descubrió América? 6. ¿Por quién fue descubierta América? 7. ¿En qué año fue descubierta América? 8. ¿Quién enseña su clase de español? 9. ¿Por quién es enseñada su clase de español? 10. ¿Por quién fue enseñada ayer su clase de español? 11. ¿Por quién será enseñada mañana su clase de español? 12. ¿Ha sido castigado usted alguna vez por el maestro? 13. ¿Quién escribió este libro? 14. ¿Por quién fue escrito este libro?

C. REPASO

1. ¿Qué otros famosos escritores españoles, además de Juan de Timoneda, puede usted mencionar? 2. ¿Cuál es la novela más famosa escrita por Cervantes? 3. ¿Le gusta o no le gusta a usted ir a pescar? 4. ¿Va usted a pescar con mucha o poca frecuencia? 5. ¿Ha pescado usted alguna vez en el océano? 6. ¿Qué prefiere usted, pescar en agua dulce o pescar en agua salada? 7. ¿Es la trucha un pez de agua dulce o de agua salada? 8. ¿Es la trucha un pez fácil o difícil de pescar? 9. ¿En qué época del año está prohibido pescar truchas? 10. ¿En qué época del año está permitido pescar truchas? 11. ¿Le gusta o no le gusta a usted el pescado? 12. ¿Cuál es la diferencia entre las palabras *pez* y *pescado?* 13. ¿Cuál es el plural de la palabra *pez?* 14. ¿Qué hace un guarda? 15. ¿Cómo se dice en inglés *caña de pescar?* 16. ¿Cómo se dice en español *I haven't the remotest idea?* 17. ¿Cómo se dice en español *turned out to be?*

1. ¿Cuántas tazas de café toma usted cada día? 2. ¿Cuánta leche toma usted cada día? 3. ¿Toma usted mucha o poca leche? 4. ¿Toma usted mucho o poco café? 5. ¿Cuántas veces a la semana va usted al cine? 6. ¿Cuántos muchachos hay en su clase de español? 7. ¿Cuántas muchachas hay? 8. ¿Fuma usted mucho o poco? 9. ¿Cuántos cigarrillos fuma usted al día? 10. ¿Qué marca de cigarrillos fuma usted? 11. ¿Qué marca de cigarrillos es la más popular en los Estados Unidos? 12. ¿Hay muchos o pocos alumnos en su clase de español? 13. ¿Quién es el profesor de su clase? 14. ¿De qué nacionalidad es su profesor de español? 15. ¿Ha viajado usted alguna vez por México? 16. ¿En qué parte de México está situado Monterrey?

¿Veracruz? ¿Mérida? 17. ¿Es la ciudad de México una ciudad antigua o moderna? 18. ¿Qué idioma se habla en México? 19. ¿Cuánto cuesta el pasaje por avión de Nueva York a México? 20. ¿Cuánto tarda en llegar un avión de Nueva York a México?

VOCABULARIO: autor, escritor, ciego, esconder, al pie, labrador, tesoro, robar, sospechoso, ladrón, dueño, encaminarse, consejo, seguro, guardar, sitio, aconsejar, avaricia, depositar, íntegro, escarmentar, pescar, caña, orilla, lago, acercarse, trucha, remoto, guarda, distrito, prohibir, mentiroso, resultar, castigar, correspondencia, entregar, permitir, cigarrillo, marca, pez.

Use las siguientes frases en oraciones:

cierta cantidad
escondido en
es un buen consejo
no lo encontró
¿Qué me aconseja...?

al pie del árbol
dar un consejo
así lo haré
se alegró mucho

LECCION 33

Cuba llora ...

El *Apóstol de la Independencia de Cuba, José Martí** contaba solamente unos veintidós años cuando se hallaba en Madrid, desterrado por sus actividades revolucionarias en Cuba. El joven patriota acababa de pasar por la tercera operación para reparar las heridas sufridas durante su prisión en Cuba, a los dieciséis años. En esos días llegaron a Madrid noticias del fusilamiento en La Habana de nueve estudiantes amigos de Martí. El patriota cubano estaba pálido y triste. Un amigo suyo, Carlos Sauvalle, le brindó su casa para dirigir un discurso a los cubanos desterrados en Madrid. Sauvalle había colgado mal un mapa grande de Cuba en la pared, detrás de la improvisada tribuna, a una altura considerable.

Martí se adelantó hacia la tribuna y comenzó su discurso con un tono dulce y alegre. Evocó luego la tragedia de Cuba. Los rostros antes alegres de los jóvenes oyentes empezaron a tornarse graves. La palabra de aquel cubano de aspecto místico cautivaba el auditorio. Martí narró —con la precisión con que solamente puede hacerlo un testigo de vista— los días tristes por los que estaba pasando la patria. Algunos en el auditorio, llenos de emoción, se levantaban de sus asientos para oirle. El orador hablaba de las vidas truncadas de los jóvenes estudiantes, del dolor de las madres cubanas ... En muchos ojos asomaban las lágrimas. La voz de Martí dominaba al auditorio. Entonces el orador comparó el dolor de las madres cubanas con el dolor de la gran madre de todos, la Patria. "Cuba llora, hermanos ..." —dijo con voz dolorida—. En ese momento el gran mapa de Cuba se descolgó de la pared, plegándose sobre la cabeza del elocuente patriota. El auditorio, sorprendido, se reía con los ojos llenos de lágrimas.

Martí reaccionó haciendo frente a esa ridícula situación. Nuevamente recogió la atención dispersa. Este accidente —dijo el orador con una sonrisa— es un símbolo de cómo Cuba se entrega a sus hijos. Sonaron los aplausos. Poco a poco sus palabras se fueron adueñando otra vez de la atención del auditorio,

---

* Nació en La Habana en 1853 y murió en combate en Dos Ríos en 1895.

y cuando el orador volvió a repetir "Cuba llora, hermanos, y nuestro deber . . ." —nadie se atrevió a sonreir.

Pocos días después se manifestaba de nuevo el carácter burlón y alegre de los cubanos: los amigos de José Martí, en vez de decirle como antes, "Adiós, Pepe", le decían ahora, "Adiós, ¡Cuba-llora!"

1. ¿Quién fue José Martí? 2. ¿Cuándo nació y en qué ciudad? 3. ¿A qué edad se hallaba desterrado en España? 4. ¿Por qué estaba desterrado? 5. ¿Por qué había tenido tres operaciones? 6. ¿Qué edad tenía Martí cuando entró en la prisión en Cuba? 7. ¿Qué noticias llegaron a Madrid en esos días? 8. ¿Quién le brindó la casa a Martí para hacer un discurso? 9. ¿Qué había colgado Sauvalle detrás de la tribuna? 10. ¿Estaba el mapa bajo o a una altura considerable? 11. ¿Cómo comenzó Martí su discurso? 12. ¿Qué evocó el orador? 13. ¿Qué aspecto tenía Martí entonces? 14. ¿Qué narró Martí entonces? 15. ¿Por qué se levantaban algunos en el auditorio? 16. ¿De qué hablaba el orador? 17. ¿Qué comparación hizo el orador? 18. ¿Qué pasó cuando Martí dijo "Cuba llora"? 19. ¿Cómo reaccionó el auditorio? 20. ¿Pudo Martí recuperar la atención del auditorio? 21. ¿Cómo saludaban a Martí sus amigos unos días después?

B. EJERCICIO ORAL

Yo hablo en español con el profesor todos los días. Yo estoy hablando con el profesor ahora. Martí estaba hablando en Madrid. Los cubanos le estaban oyendo. Enrique está leyendo su composición. Estamos preparando nuestra tarea. Ustedes están progresando en sus estudios. Elena y Raquel están comiendo en la cafetería con Eduardo.

El orador estaba hablando del dolor de las madres. Cuando Martí estaba diciendo "Cuba llora" le cayó el mapa de Cuba en la cabeza. El auditorio se estaba riendo, pero un poco antes estaba llorando.

Está lloviendo mucho. Cada minuto está haciendo más frío. El teléfono está sonando. Alguien está tocando a la puerta. Los alumnos no están poniendo atención a lo que dice el profesor.

1. ¿En qué idioma está hablando usted ahora? 2. ¿En qué idioma estaba hablando José Martí? 3. ¿Cómo saludaban a José Martí

sus amigos después de este accidente? 4. ¿Continuó Martí su discurso? 5. ¿Disgustó a Martí el fusilamiento de los estudiantes? 6. ¿Qué lección está usted estudiando ahora? 7. ¿Fuma usted poco o mucho? 8. ¿Está usted fumando ahora? 9. ¿Estaba lloviendo el otro día cuando usted salió de clase? 10. ¿Está lloviendo ahora? 11. ¿Está usted ahora escuchando al profesor? 12. ¿Está algún estudiante escribiendo en la pizarra en este momento?

C. REPASO

1. ¿A qué edad estaba Martí desterrado en España? 2. ¿Cuántos años tenía Martí cuando entró en la prisión política? 3. ¿Fue Martí un testigo de vista de lo que sufrían los cubanos? 4. ¿A cuántos estudiantes fusilaron los españoles en La Habana en tiempos de Martí? 5. ¿Cuántas operaciones sufrió Martí? 6. ¿Cuándo empezaron a tornarse graves los rostros de los oyentes? 7. ¿Por qué se levantaban algunos en el auditorio? 8. ¿Qué asomaba a los ojos de muchos en el auditorio? 9. ¿Se está asomando el profesor a la ventana en este momento? 10. ¿Cómo saludaban los cubanos a Martí antes y después de este accidente? 11. ¿Se pudo Martí adueñar poco a poco de la atención del auditorio? 12. ¿Se atrevió a sonreir el auditorio la segunda vez que Martí dijo "Cuba llora"? 13. ¿Se atreve usted a hacer un discurso en español?

1. ¿Dónde estuvo usted anoche? 2. ¿Dónde estuvieron Juan y Eduardo anoche? 3. ¿Cuánto tiempo tuvo que pasar usted anoche preparando sus tareas? 4. ¿A qué hora tuvo que ir usted a la escuela ayer? 5. ¿Dónde puso usted sus libros cuando entró en la clase esta mañana? 6. ¿Cómo saludó usted al profesor cuando lo vio por primera vez esta mañana? 7. ¿Qué estaba haciendo él cuando usted entró en la clase? 8. ¿Qué estaban haciendo los otros estudiantes? 9. ¿A qué hora vino usted a la escuela ayer? 10. ¿A qué hora llegaron Enrique y Felipe? 11. ¿Vinieron ellos a pie o en autobús? 12. ¿Qué hicieron todos ustedes ayer por la tarde después de salir de la escuela? 13. ¿Por qué no pudo venir Elena a la clase ayer? 15. ¿Por qué no pudo ir usted al cine anoche con Juan y Eduardo? 16. ¿Por qué no quiso ir Enrique con usted al juego de pelota anteayer? 17. ¿Quién fue con usted al juego de pelota? 18. ¿Quién le re-

galó a Elena esas flores? 19. ¿Cuándo se las regaló? 20. ¿Quién le dijo a usted que hoy iba a llover? 21. ¿En qué periódico leyó usted la noticia de la muerte del presidente? 22. ¿De qué murió el presidente? 23. ¿Qué película vio usted en el cine el sábado por la noche? 24. ¿Quién le trajo a usted de México esas revistas? 25. ¿Cuándo se las trajo?

VOCABULARIO: apóstol, desterrado, actividades, patriota, estudiante, reparar, heridas, fusilamiento (fusilar), brindar, colgar, mapa, improvisar, tribuna, considerable, tono, evocar, rostro, aspecto, místico, cautivar, auditorio, testigo, truncado, asomar, lágrimas, burlarse, descolgarse, plegarse, elocuente, dispersa, aplausos, adueñarse, atreverse, burlón.

Use las siguientes frases en oraciones:

contar ... años
cautivar al auditorio
asomarse a la ventana
acababa de
testigo de vista

situación ridícula
dirigir un discurso
se le asomaban las
lágrimas
le brindó su casa

LECCION 34

Profesor: —¿Qué hora es?

Alumno: —Son las diez en punto.

Profesor: —¿Y qué estamos haciendo ahora?

Alumno: —Estamos estudiando nuestra lección de español.

Profesor: —¿Y qué estábamos haciendo ayer a las diez en punto?

Alumno: —Estábamos escribiendo una composición en español.

Profesor: —Y, Elena, ¿qué estaba haciendo anoche a las siete en punto?

Elena: —A las siete en punto yo estaba ayudando a mi madre a preparar la comida.

Profesor: —¿Con quién estaba usted hablando esta mañana, Roberto, cuando lo vi en frente de la escuela?

Roberto: —Estaba hablando con varios amigos.

Profesor: —Bueno. Parece que ustedes han estudiado bien la forma progresiva de los verbos—. *Yo estaba estudiando. Tú estabas estudiando. El estaba estudiando,* etc. ¿Tienen alguna duda? ¿Quieren hacer alguna pregunta?

Pedro: —Tengo una pregunta que hacerle, profesor.

Profesor: —Sí, Pedro.

Pedro: —Yo cometí un error en mi composición de ayer. Escribí "Yo no fue al cine anoche". ¿Cuál es la forma correcta, señor López?

Profesor: —Lo correcto es decir "Yo no fui al cine anoche". "Yo no fui al cine". "Tú no fuiste al cine". "El no fue al cine". "Ella no fue al cine". "Nosotros no fuimos al cine". "Ustedes no fueron al cine". "Ellos no fueron al cine". ¿Entiende ahora, Pedro?

Pedro: —Sí, entiendo, profesor. Nadie fue al cine.

1. ¿Qué hora es? 2. ¿Qué está haciendo usted ahora? 3. ¿Qué estaba haciendo usted ayer a esta hora? 4. ¿Qué estaba usted haciendo anoche a las siete en punto? 5. ¿Qué estaba usted haciendo anoche a las ocho en punto? 6. ¿Qué estará haciendo usted mañana por la noche a las ocho en punto? 7. ¿Qué estaba haciendo Elena anoche a las siete en punto? 8. ¿Qué error cometió Pedro en su composición ayer? 9. ¿Cuál es la forma correcta que Pedro *debía haber usado?* 10. ¿Cuál fue la res-

puesta de Pedro a la explicación del profesor sobre el uso del verbo *ir?*

B. EJERCICIO ORAL

Yo estudié bien mi lección anoche. Yo *estaba estudiando* mi lección cuando usted me llamó por teléfono anoche. Al mismo tiempo mi padre *estaba leyendo* el periódico. Mi madre *estaba preparando* la comida. Mi hermana Elena *estaba cosiendo.*

Cuando llegamos, ellos *estaban comiendo. Estaba lloviendo* cuando salí de mi casa esta mañana. El accidente ocurrió cuando el avión *estaba aterrizando.* Todo el mundo *estaba cantando* y bailando cuando entramos. No pude entender por qué Raquel *estaba mirándome* tan fijamente. Ella no *estaba mirándolo* a usted; *estaba mirándome* a mí.

Si llegamos a las siete, Juan *estará estudiando.* Probablemente su padre *estará leyendo* el periódico; su madre *estará preparando* la comida, etc.

Ellos *han estado poniendo* muy poca atención en la clase. *Ha estado lloviendo* todo el día. *Han estado hablando* así durante más de media hora.

1. ¿Qué estaba haciendo el profesor cuando usted llegó a la clase esta mañana? 2. ¿Qué estaban haciendo los otros estudiantes? 3. ¿Con quién estaba hablando usted cuando lo vi esta mañana en el pasillo? 4. ¿Estaba lloviendo cuando usted salió esta mañana de su casa, o hacía sol? 5. En el diálogo de esta lección, ¿de qué estaba hablando el profesor cuando Pedro lo interrumpió para hacerle una pregunta sobre el error de su composición? 6. ¿Qué estaba haciendo usted anoche a las siete? 7. ¿Qué estaba haciendo su padre anoche a las siete? 8. ¿Qué estaba haciendo su hermana? 9. ¿Qué estará haciendo usted mañana por la noche a las siete? 10. ¿Qué estará haciendo su padre? 11. ¿Qué estará haciendo su hermana? 12. ¿Cuánto tiempo ha estado usted estudiando español? 13. ¿Cuánto tiempo ha estado lloviendo? 14. ¿Por qué han estado prestando tan poca atención los estudiantes en la clase?

C. REPASO

1. ¿Qué hora es? ¿Qué está haciendo usted ahora? 2. ¿Qué estaba haciendo usted ayer a esta hora? 3. ¿Qué estará haciendo

usted mañana a esta hora? 4. ¿Cómo se dice en español "ten o'clock sharp"? 5. Si usted no estaba estudiando ayer a esta hora, ¿qué estaba haciendo? 6. Anoche a las ocho, ¿estaban comiendo ustedes o ya habían comido? 7. Ayer a las tres y media de la tarde, ¿estaba usted todavía en la escuela o ya había salido? 8. ¿Cuánto tiempo había estado usted estudiando español cuando empezó este curso? 9. ¿Le hacen ustedes muchas o pocas preguntas al profesor? 10. ¿Le parecen a ustedes fáciles o difíciles las conjugaciones de los verbos en español? 11. ¿Cuál le parece más fácil, la gramática española o la gramática inglesa? 12. En vez de "Yo fue al cine", ¿qué *debía haber dicho* Pedro?

1. ¿Pasa usted mucho o poco tiempo preparando sus tareas? 2. ¿Sabe usted muchas o pocas palabras en español? 3. Hasta ahora, aproximadamente, ¿cuántas palabras ha aprendido usted en español? 4. ¿En qué estación del año llueve con más frecuencia? 5. ¿En qué estación del año nieva con más frecuencia? 6. ¿En qué mes del año hace a veces mucho viento? 7. ¿En qué estación del año se caen las hojas de los árboles? 8. ¿En qué estación del año empiezan a nacer las flores? 9. ¿Qué tiempo hace hoy? ¿Está lloviendo? ¿Está nevando? ¿Hace mucho viento? 10. ¿Qué estación del año prefiere usted? 11. ¿En qué estación del año va la gente a la playa a nadar? 12. ¿En qué meses del año caen los días de fiesta más importantes? 13. ¿En qué mes hace más frío en los Estados Unidos? 14. ¿Le gusta o no le gusta a usted el clima de Nueva York? 15. ¿Prefiere usted un clima frío o un clima caluroso? 16. ¿Qué clase de clima hay en México? 17. En los países de Suramérica, ¿hace calor o hace frío durante el verano? 18. ¿Qué países de Suramérica están situados muy cerca del ecuador? 19. ¿Está Venezuela al norte o al sur del ecuador? 20. ¿Está Panamá al norte o al sur del ecuador? 21. ¿Qué temperatura hace hoy? 22. ¿Qué temperatura hizo ayer? 23. ¿Sube o baja la temperatura en el verano? 24. ¿Sube o baja la temperatura en el invierno?

VOCABULARIO: punto, en frente de, varios, progresivo, correcto, respuesta, explicación, pretérito, coser, aterrizar, fijo, interrumpir, mundo, curso, prestar, conjugación, viento, hoja, crecer, clima, ecuador, temperatura, subir, bajar.

Use las siguientes frases en oraciones:

en punto
en frente de
hacer una pregunta
en vez de
cometer un error

llamar por teléfono
hasta ahora
todo el mundo
hacer viento

LECCION 35

Distracciones

Hay muchos cuentos de personas distraídas. Por ejemplo, un día un profesor andaba por la calle. Uno de sus alumnos pasó por su lado.

"¿En qué dirección voy yo?", le preguntó al muchacho.

"Hacia el norte", dijo el muchacho.

"Bueno", dijo el profesor. "Entonces ya he almorzado".

Hay otro cuento parecido acerca de Isaac Newton, el famoso científico. Newton también era un hombre muy distraído. Una vez entró en el laboratorio su criada, trayendo un huevo que quería hervir en el hornillo del laboratorio. Newton estaba pensando en algún problema y quería estar solo. Por eso le dijo a la criada que él mismo podía hervir el huevo más tarde. La criada le dio a Newton su reloj y le dijo que debía hervir el huevo exactamente tres minutos. Entonces se fue.

Un rato más tarde, la criada volvió. Naturalmente se sorprendió mucho al ver a Newton con el huevo todavía en la mano. Al mismo tiempo vio que él había puesto el reloj a hervir mientras miraba atentamente al huevo.

1. ¿Hay muchos o pocos cuentos acerca de personas distraídas?
2. ¿Qué queremos decir cuando decimos que una persona es distraída? 3. En el primer cuento, ¿por dónde andaba un profesor? 4. ¿Con quién se encontró? 5. ¿Qué le preguntó al alumno? 6. ¿En qué dirección iba el profesor? 7. ¿Cómo sabía el profesor que ya él había almorzado? 8. ¿Sobre qué famoso científico trata el segundo cuento? 9. ¿Quién entró un día en el laboratorio de Newton? 10. ¿Qué quería hacer? 11. ¿Por qué Newton quería estar solo? 12. ¿Qué le dijo Newton a la criada? 13. ¿Qué le dio la criada a Newton? 14. ¿Cuándo volvió la criada? 15. ¿Por qué se sorprendió al entrar otra vez en el laboratorio? 16. ¿Dónde había puesto Newton el reloj? ¿Dónde estaba el huevo?

B. EJERCICIO ORAL

Esta carta es *para* Juan. La otra es *para* usted. Salieron anoche *para* Madrid. Trabajamos *para* vivir. Yo estaba *para* salir cuando usted llamó. Quiero comprar un radio *para* poder escuchar música. Necesito también una lámpara *para* mi escritorio. La lámpara que tengo ahora no sirve *para* nada. Juan quiere estudiar *para* médico; su hermano *para* abogado.

El ladrón entró *por* una ventana. Vienen a visitarnos dos veces *por* semana (*por* mes, *por* año, etc.). Compré el lapicero *por* un dólar y medio. América fue descubierta *por* Colón. El ladrón fue muerto *por* la policía. La madre cogió al niño *por* la mano. Siempre nos visitan *por* la mañana (*por* la tarde, *por* la noche). *Por* lo general, Eduardo es mejor alumno que su hermano. *Por* eso (*por* lo tanto, *por* consiguiente) saca siempre mejores notas.

1. ¿Cómo entró el ladrón, en la casa por una ventana o por otro lugar? 2. ¿Cuánto pagó usted por este libro? 3. ¿Por quién fue descubierta América? 4. ¿Para quién trajo el cartero esas dos cartas? 5. ¿Para qué quiere usted aprender a hablar bien español? 6. ¿Salió Juan para México o para Caracas? 7. ¿Para qué país salieron el señor López y su esposa? 8. ¿Cuántos días por semana tienen ustedes clases de español? 9. ¿Cómo mandó usted esa carta, por correo aéreo o por correo ordinario? 10. ¿Sale el tren para Miami por la mañana o por la tarde? 11. ¿Cuántas lecciones faltan para terminar este libro? 12. ¿Por

qué calle andaba usted ayer cuando se encontró con el profesor? 13. ¿Cuántos son cinco por tres? ¿Ocho por dos? ¿Siete por tres? 14. ¿Por qué dice usted que su radio no sirve para nada? 15. ¿Para quién va a comprar usted flores? 16. ¿Para cuándo estará listo el vestido nuevo de María? 17. ¿Por cuántos días exhibieron esa película? 18. ¿Por qué razón no quiere ir Eduardo a la fiesta esta noche?

C. REPASO

1. ¿Por qué muchas veces tienen los profesores fama de personas distraídas? 2. ¿Es usted una persona distraída? 3. En la anécdota de esta lección, ¿qué tenía que ver la dirección en que andaba el profesor con el hecho de que ya había almorzado? 4. ¿Ha almorzado usted ya? 5. ¿Va usted a su casa a almorzar, o almuerza en la escuela? 6. ¿En qué dirección va usted para ir a su casa? 7. ¿En qué dirección va una persona si viaja desde Nueva York a Miami? 8. ¿En qué dirección va si viaja desde Nueva York a Los Angeles? 9. ¿A qué temperatura hierve el agua? 10. ¿Hierve el agua a la misma temperatura siempre? 11. ¿Cuánto tiempo se necesita para hervir un huevo? 12. ¿Le gustan o no le gustan a usted los huevos pasados por agua? 13. ¿Cómo se llaman algunos de los científicos más famosos de este país? 14. ¿Qué ley famosa de la naturaleza descubrió Isaac Newton?

1. ¿Cuántos días hay en una semana? 2. ¿Cuáles son los días de la semana? 3. ¿Cuántos meses tiene un año? 4. ¿Cuáles son los meses del año? 5. ¿Cuántas estaciones hay en el año? 6. ¿Cuáles son las cuatro estaciones del año? 7. ¿Cuántas horas hay en un día? 8. ¿Qué hora es ahora? 9. ¿A qué hora desayuna usted cada día? 10. ¿A qué hora almuerza usted? 11. ¿A qué hora come usted? 12. ¿A qué hora desayunó usted esta mañana? 13. ¿Dónde almorzó usted ayer, en casa o en un restaurante? 14. ¿A qué hora comió usted anoche? 15. ¿A qué hora desayunará usted mañana por la mañana? 16. ¿Dónde desayunará usted, en casa o en un restaurante? 17. ¿A qué hora comerá usted esta noche? 18. ¿Cómo se siente usted hoy? 19. ¿Cómo se sentía usted ayer? 20. Si no se siente bien, ¿va usted a la escuela o se queda en casa? 21. ¿Falta usted a la escuela con mucha o poca frecuencia? 22. ¿Le gusta o no le gusta a usted

faltar a la escuela? 23. ¿Por qué se pone bravo (o se disgusta) el profesor si falta un estudiante a la escuela muchas veces? 24. Por regla general, ¿saca usted buenas o malas notas en español? 25. ¿Qué notas sacó usted el mes pasado? 26. ¿Qué dicen sus padres si de vez en cuando usted saca malas notas?

VOCABULARIO: distraído, hacia, parecido, científico, criada, hervir, hornillo, laboratorio, solo, exacto, natural, atento, música, lámpara, abogado, ladrón, matar, niño, consiguiente, sacar, nota, lugar, faltar, exhibir, razón, ley, naturaleza, sorprenderse, disgustarse.

Use las siguientes frases en oraciones:

por ejemplo
por fin
por regla general
por eso
por todas partes
por semana
    (mes, año)
por favor
por supuesto

por la mañana
    (tarde, noche)
tener que ver con
estar *para* salir
salir *para*
de vez en cuando
disgustarse por esto
    (por lo otro)

LECCION 36

No es lo mismo...

Muchos famosos escritores hispanoamericanos son, además, políticos renombrados en sus países. Uno de estos políticos-literatos dormitaba (estaba medio dormido) en un sofá del Salón de conferencias del Congreso. Un diputado que había bebido un poco más de la cuenta se le acercó y dándole un golpecito en el hombro le dijo:

—¡Caramba, don Antonio! ¿Está dormido?

—No —replicó un tanto molesto el escritor. —Estoy durmiendo.

—Bueno, para el caso es lo mismo.

El escritor, que había notado el aliento de whisky del inoportuno diputado, le contestó:

—No, señor; no es lo mismo. No es igual estar bebido (borracho) que estar bebiendo.

El diputado se quedó perplejo: no acababa de comprender aquella aguda contestación. Entonces el escritor terminó diciéndole:

—Ni tampoco es lo mismo estar perdido, que estar perdiendo...

1. ¿De quién se trata en esta anécdota? 2. ¿Quiénes llegan a ser políticos renombrados en Hispanoamérica? 3. ¿Qué hacía uno de estos famosos políticos-literatos en un sofá? 4. ¿Dormita usted durante el día cuando no duerme bastante .durante la noche? 5. ¿En qué lugar del Congreso dormitaba el escritor? 6. ¿Quién se le acercó? 7. ¿Quién había bebido más de la cuenta? 8. ¿Qué le preguntó el diputado al escritor? 9. ¿Qué le replicó el escritor? 10. ¿Quién tenía aliento de whisky? 11. ¿Cómo se quedó el diputado con la contestación? 12. ¿Cuál fue la última contestación que le dio el escritor al diputado?

B. EJERCICIO ORAL

Yo llego a la escuela a tiempo. Ayer yo *llegué* a la escuela tarde. Yo pago mucho dinero por mis sombreros. Yo *pagué* diez dólares por este sombrero. Yo siempre saco buenas notas en mis exámenes. *Saqué* muy malas notas en mis últimos exámenes. Toco bien el violín. Anoche *toqué* el violín para mis amigos.

Hay que *seguir* por este mismo camino. Yo *sigo* estudiando pero sin progresar mucho. Juan *sigue* siendo el mejor alumno de la clase. Yo *escojo* mis amigos con cuidado. Eduardo siempre *escoge* corbatas feas. Si no tengo cuidado, yo *cojo* resfriado fácilmente. Algunas personas nunca *cogen* resfriado. *Corrijo* mis composiciones antes de entregárselas al profesor. El profesor *corrige* nuestras tareas en casa. Siempre *recojo* mis cosas y las pongo en orden antes de salir. Ellos *recogen* mucho dinero para la Cruz Roja.

Yo empiezo a estudiar a las ocho cada noche. Anoche *empecé* a estudiar a las ocho. La película comienza a las siete. *Comencé* a estudiar español el año pasado.

1. ¿Quién corrige las composiciones que ustedes escriben? 2. ¿A qué hora empezó a estudiar usted anoche? 3. ¿Es fácil o difícil para usted escoger regalos para sus amigos? 4. ¿Sacó usted buenas o malas notas en sus últimos exámenes? 5. ¿Coge usted resfriado durante el invierno con mucha o poca frecuencia? 6. Si coge usted resfriado, ¿qué medicinas toma? ¿Qué tratamiento sigue? 7. ¿A qué hora llegó usted a la escuela esta mañana? 8. ¿Escoge usted a sus amigos con mucho o con poco cuidado? 9. ¿Cuánto pagó usted por este libro? 10. ¿Cuándo empezó usted a estudiar español? 11. ¿Piensa usted seguir estudiando español después de este año o va a dejar de estudiarlo? 12. ¿A qué hora almorzó usted ayer? 13. ¿A quién se acercó usted en la calle esta mañana para saludarlo? 14. ¿Hasta qué hora siguieron hablando usted y Elena anoche?

C. REPASO

1. ¿Quién es Haya de la Torre? 2. ¿Puede usted decir el nombre de otro famoso político hispanoamericano? 3. ¿Está dormitando usted ahora? 4. ¿Tenemos nosotros un sofá en la sala de clase? 5. ¿Cómo está una persona que ha bebido más de la cuenta? 6. ¿Puede estar durmiendo una persona que mantiene una conversación? 7. ¿Hay alguna diferencia entre estar bebido y estar borracho? 8. ¿Es lo mismo estar bebido que estar bebiendo? 9. ¿De qué otra forma se puede decir que una persona está borracha? 10. ¿Qué queremos decir cuando decimos que una per-

sona está perdida? 11. ¿Qué queremos decir cuando decimos que una persona ha bebido más de la cuenta? 12. ¿Se despierta la persona que está dormitando si le dan un golpecito en el hombro? 13. ¿Se molesta la persona que está dormitando si la despiertan de repente? 14. ¿Es oportuna o inoportuna la persona que despierta a otra cuando está durmiendo? 15. ¿Le molesta a usted o no le molesta una persona con aliento de whisky?

VOCABULARIO: renombre, dormitar, sofá, Salón de conferencias, Congreso, diputado, acercarse, golpe (golpecito), hombro, molesto, aliento, inoportuno, bebido (borracho), perplejo, aguda, perdido.

Use las siguientes frases en oraciones:

renombre	acabar de comprender
un tanto molesto	dar un golpe
quedarse perplejo	estar bebido
más de la cuenta	estar molesto
no es lo mismo	

LECCION 37

Profesor:—Hoy tenemos que estudiar los pronombres posesivos; mío, suyo, nuestros, suyos, etc. Usamos estos pronombres con mucha frecuencia. (Levantando un libro en la mano) Juan, ¿es este libro suyo o mío?

Juan: —Ese libro es suyo, señor López.

Profesor:—(Levantando un lápiz). ¿Es este lápiz suyo o mío?

Juan: —Ese lápiz es suyo.

Profesor:—Guillermo, ¿es ese cuaderno que está sobre su escritorio suyo o de Juan?

Guillermo:—Este cuaderno es mío.

Profesor:—¿De quién es ese cuaderno que está sobre el escritorio de Ricardo?

Guillermo:—Ese cuaderno es de él.

Profesor:—¿Es esa pluma verde que está sobre el escritorio de Elena suya o de ella?

Guillermo:—Esa pluma es de ella. Esta pluma amarilla es mía.

Profesor:—Pedro, ¿es ese lapicero que está sobre el escritorio de Juan suyo o de él?

Pedro: —No sé, señor.

Profesor:—¿Qué quiere decir que usted no sabe? ¿Usted no sabe si el lapicero le pertenece a usted o a Juan?

Pedro: —Yo no sé el significado de la palabra *lapicero* en español.

Profesor:—Pero nosotros aprendimos esa palabra en la clase hace poco. Yo puse la palabra *lapicero* en la pizarra y usted la usó en una oración. Usted tiene mala memoria, Pedro.

Pedro: —Hay tres cosas que yo nunca puedo recordar, señor López. No puedo recordar palabras, no puedo recordar nombres, y no puedo recordar . . .

Profesor:—¿Y cuál es la tercera cosa que usted no puede recordar, Pedro?

Pedro: —No puedo recordar algunas cosas que quiero recordar.

1. ¿De qué está hablando el profesor en este diálogo? 2. ¿Qué fue lo primero que cogió en su mano el profesor? 3. ¿Qué cosa preguntó? 4. ¿Es el libro que el profesor tiene en la mano suyo o de Juan? 5. ¿Es el libro que usted tiene en la mano suyo o del profesor? 6. ¿Es el lápiz que el profesor tiene en la mano suyo o de él? 7. ¿Es el lápiz que está sobre su escritorio suyo o de su amigo? 8. ¿Qué es un lapicero? 9. ¿Tiene usted buena memoria o mala memoria? 10. ¿Cuáles son las tres cosas que Pedro nunca puede recordar?

B. EJERCICIO ORAL

Vino anoche a nuestra casa un tío *mío*. Me encontré en la calle ayer con un viejo amigo *nuestro*. No son juguetes *suyos*.

Estos libros son *míos*. Esos son *suyos*. ¿De quién son esos lápices? Son *suyos* (o de *usted*). No son *nuestros*. Este cuaderno también es *suyo*. Yo creía que era de Juan. No, no es *suyo*.

Su lapicero es mejor que *el mío*. Sus amigas son más fieles que las *mías*. Esta revista es *mía;* ¿pero dónde está *la suya?* Estas llaves no son *mías*. Tengo *las mías* en el bolsillo. ¿Son *tuyas?* No, *las mías* están sobre la mesa. Quizás son del profesor. *Las suyas* están todavía en la cerradura de la puerta.

Me gustan mis zapatos nuevos; pero no *los* de Juan. El profesor leyó mi composición y *la* de Elena. Mañana va a leer *las* de los otros alumnos. Me gusta más el sombrero de usted que *el* de Raquel.

1. ¿De quién es este libro? ¿Es suyo o de Juan? 2. ¿De quién es esa pluma que está sobre la mesa? 3. ¿Qué prefiere usted, el clima de Nueva York o el de un país tropical como Panamá? 4. ¿Cuáles son mejores, las composiciones suyas o las de su amigo? 5. ¿Cuál de las plumas es más cara, la suya o la mía? 6. ¿Es su pronunciación en español mejor o peor que la de los otros alumnos? 7. ¿Son suyos estos guantes o son de ella? 8. ¿De quién es ese cuaderno que está en el piso? 9. ¿Es este lápiz suyo o mío? 10. ¿Qué lapicero escribe mejor, el suyo o el mío? 11. ¿Qué silla es más cómoda, ésta o la suya? 12. ¿Son más cómodas las sillas de su aula o las de su casa?

C. REPASO

1. ¿Dónde tiene lugar el diálogo de esta lección? 2. ¿Qué personas participan en este diálogo? 3. ¿Qué están discutiendo? 4. ¿Cuáles son los pronombres posesivos en español? 5. ¿Cuáles son los pronombres posesivos en inglés? 6. ¿Qué suena mejor, *Este libro es mi libro* o *Este libro es mío?* 7. ¿Se usan los pronombres posesivos con mucha o poca frecuencia en español? ¿Y en inglés? 8. Si decimos en español, *Este libro es suyo,* ¿a quién se puede referir la palabra *suyo?* 9. ¿Por qué en lugar de decir, *Este libro es suyo,* decimos a veces *Este libro es de él* o *Este libro es de usted?* 10. ¿Le parece a usted fácil o difícil el uso de los varios pronombres en español? 11. ¿Cómo se dice en español "I mean"? 12. ¿Cómo se traduce al español "What do you mean"?

1. ¿Tiene usted reloj? ¿Qué hora es? 2. ¿Anda bien su reloj? 3. ¿Qué clase de reloj tiene usted, de bolsillo o de pulsera? 4. ¿Cuáles son más populares hoy en día, los relojes de pulsera o los de bolsillo? 5. ¿En qué bolsillo llevan los hombres generalmente el reloj de bolsillo? 6. ¿En qué muñeca, la izquierda o la derecha, se lleva el reloj de pulsera? 7. ¿Por qué se lleva generalmente en la muñeca izquierda en vez de llevarlo en la muñeca derecha? 8. ¿Qué reloj marca la hora mejor, uno barato o uno caro? 9. ¿Cuál tiene un mecanismo más fino, un reloj barato o uno caro? 10. ¿Anda bien o mal el reloj de usted? 11. ¿Se adelanta o se atrasa su reloj? 12. Si se adelanta, ¿cuántos minutos tiene adelantados ahora? 13. Si se atrasa, ¿cuántos minutos tiene atrasados ahora? 14. ¿Cada cuánto tiempo tiene que darle cuerda a su reloj? 15. ¿Qué le pasará si no se le da cuerda con regularidad? 16. ¿Le da usted cuerda a su reloj a la misma hora todos los días o nada más que cuando se acuerda? 17. ¿Cada cuánto tiempo damos cuerda a los relojes eléctricos? 18. ¿Cuánto tiempo puede funcionar un reloj sin dársele cuerda? 19. ¿Es automático su reloj o tiene que darle cuerda? 20. ¿A dónde lleva usted su reloj cuando necesita reparación? 21. ¿De qué marca es su reloj? 22. ¿Cuáles son las marcas de relojes más famosas que se usan hoy en los Estados Unidos?

VOCABULARIO: posesivo, significado, recordar, fiel, caro, tropical, aula, discutir, referirse, pulsera, muñeca, marcar, mecanismo, fino, adelantarse, atrasarse, cuerda, regularidad, eléctrico, acordarse, arreglar.

Use las siguientes frases en oraciones:

con mucha frecuencia
con poca frecuencia
con regularidad
andar (bien o mal
   el reloj)
darle cuerda a un
   reloj

cada cuánto tiempo
cinco minutos ade-
   lantados
   (atrasados)
querer decir
lo primero
lo malo (bueno)

LECCION 38

Una carta a una novia

Un día un joven estaba escribiendo una carta a su novia, que vivía a unas cuantas millas de distancia en un pueblo cercano. Entre otras cosas él le decía cuánto la quería y lo bonita que él pensaba que ella era. Mientras más escribía más poético se ponía. Finalmente dijo que para estar con ella él sufriría las dificultades más grandes, los mayores peligros de este mundo. Lo que es más, por pasar un solo minuto con ella, él subiría la montaña más alta del mundo, nadaría el río más ancho, entraría en el bosque más espeso y a mano limpia pelearía contra los animales más fieros.

Terminó la carta, firmó su nombre, y de pronto recordó que había olvidado mencionar algo muy importante. Entonces en una posdata debajo de su nombre escribió: "Olvidé decirte que te iré a ver el miércoles por la noche, si no llueve".

1. ¿A quién estaba escribiendo un joven una carta? 2. ¿Vivía su novia en un pueblo lejano o cercano? 3. Entre otras cosas, ¿qué le decía en la carta? 4. Mientras más escribía, ¿se ponía más o menos poético? 5. ¿Prometió sufrir grandes o pequeñas dificultades por estar con ella? 6. ¿Qué clase de peligros estaba

dispuesto a enfrentar? 7. Por estas con ella un solo minuto, ¿qué montañas dijo que subiría? 8. ¿Qué río nadaría? 9. ¿En qué bosque entraría y qué estaría dispuesto a hacer? 10. Al terminar la carta, ¿qué recordó de pronto? 11. ¿Qué escribió en una posdata debajo de su nombre? 12. ¿Cuándo dijo que iba a visitar a su novia?

B. EJERCICIO ORAL

Enrique dice que lo hará mañana. Enrique dijo que lo *haría* mañana. Ella dice que irá con nosotros. Ella dijo que *iría* con nosotros. El cree que sacará buenas notas. El creía que *sacaría* buenas notas. El niño dice que cumplirá diez años mañana. El niño dijo que *cumpliría* diez años mañana. Eduardo repite que tendrá mucho tiempo mañana para hacerlo. Eduardo repetía que *tendría* mucho tiempo mañana para hacerlo.

Dijeron que *vendrían* por avión. Yo no sabía que él *podría* hacerlo tan fácilmente. Yo creía que *estaría* más contento con el regalo. El me dijo que *cabrían* en el automóvil cinco personas.

1. ¿Dijo el profesor que les daría un examen mañana o pasado mañana? 2. ¿A qué hora le dijo su amigo que llegaría? 3. ¿Cuándo dijo ella que entregarían el paquete? 4. ¿Dijo Juan que lo haría hoy o mañana? 5. ¿Qué preferiría usted, ir de vacaciones al Canadá o a la Florida? 6. ¿Qué preferiría usted, viajar por Europa o por Suramérica? 7. ¿Le gustaría a usted hablar español perfectamente? 8. ¿Qué preferiría usted hacer esta noche, ir al cine o quedarse en casa? 9. Juan y yo vamos al cine esta noche; ¿le gustaría ir con nosotros? 10. ¿Dijo María que iría o que no iría con nosotros? 11. ¿Dijo el periódico ayer que llovería o que haría buen tiempo? 12. ¿A qué hora dijo su amigo que vendría?

C. REPASO

1. ¿Escribe todo el mundo algunas veces cartas amorosas? 2. ¿Son las cartas amorosas fáciles o difíciles de escribir? 3. Si

uno escribe cartas amorosas, ¿se pone uno más poético mientras más escribe? 4. ¿Es verdad o no que mientras uno estudia más, tanto más aprende? 5. ¿Es verdad o no que mientras más dinero tiene una persona más feliz es? 6. En la anécdota de esta lección, ¿qué dijo el joven que haría por pasar un solo minuto con su novia? 7. ¿Qué montaña subiría, qué río nadaría, en qué bosque entraría? 8. ¿Cuál es la montaña más alta del mundo? 9. ¿Cuál es el río más grande del mundo? 10. ¿En qué país de Suramérica se encuentran los bosques más espesos? 11. ¿Qué clase de animales viven en los bosques, animales salvajes o animales domésticos? 12. ¿Tiene usted una novia? 13. ¿Escribe usted muchas o pocas cartas amorosas a su novia? 14. ¿Dónde se pone la posdata, al final o al principio de una carta? 15. ¿Usa usted posdatas en sus cartas con mucha frecuencia?

1. ¿Fuma usted? ¿Está usted fumando ahora? 2. ¿Fuma su profesor? ¿Está fumando el profesor ahora? 3. ¿Qué marca de cigarrillos fuma usted? 4. ¿En qué días de la semana estudia usted español? 5. ¿Qué asignatura está estudiando usted ahora? 6. ¿Cuántos idiomas habla su profesor? 7. ¿Qué idioma está hablando él ahora? 8. ¿Llueve mucho o poco durante el mes de abril? 9. ¿Está lloviendo ahora? 10. ¿Suena el teléfono con mucha o poca frecuencia? 11. ¿Está sonando ahora el teléfono? 12. Cuando usted quiere oír música, ¿enciende usted el radio o lo apaga? 13. Cuando el cuarto está oscuro, ¿enciende usted la luz o la apaga? 14. Cuando se acuesta todas las noches, ¿enciende usted la luz o la apaga? 15. ¿Cómo se dice en español "turn on the radio"? 16. ¿Cómo se dice en español "put out the light"? 17. ¿En la anécdota de esta lección estaba escribiendo el joven una carta amorosa o una carta comercial? 18. ¿Cuáles son más interesantes, las cartas amorosas o las cartas comerciales? 19. ¿Cuáles son más interesantes de escribir, las cartas amorosas o las comerciales? 20. ¿Ha tenido usted mucha o poca experiencia escribiendo cartas amorosas? 21. ¿He tenido usted mucha o poca experiencia escribiendo cartas comerciales? 22. ¿Era el joven de la anécdota un poeta o solamente se ponía poético mientras más escribía? 23. ¿Ha escrito usted poesías alguna vez? 24. ¿Le gusta o no le gusta a usted la poesía? 25. ¿Qué famosos poetas españoles puede usted nombrar? 26. ¿Cuál es su poeta americano favorito?

VOCABULARIO: novia, milla, cercano, lejano, poético, sufrir, peligro, río, bosque, espeso, pelear, fiero, mencionar, posdata, dispuesto, enfrentar, mientras, cumplir, amorosa, feliz, apagar, encender, comercial, poeta, poesía.

Use las siguientes frases en oraciones:

unos cuantos
entre otras cosas
lo bonita
a mano limpia
lo que es más

de pronto
dispuesto a
cumplir años
al final

LECCION 39

Y tenían razón

Miguel de Unamuno fue un famoso escritor español de la llamada *generación del noventa y ocho* (escritores de 1898). Era profesor de griego y llegó a ser Rector de la Universidad de Salamanca. Siempre se distinguió como un hombre de gran sinceridad y entereza de carácter. El rey Alfonso XIII, reconociendo sus méritos, le llamó a Palacio para concederle (darle) una conderación.

Señor —dijo el sabio escritor al rey. —Vengo a darle las gracias por la Gran Cruz que me ha concedido, aunque reconozco que la merezco.

—Está bien —contestó el último rey de España con su famosa sonrisa. No dudo que la merezca. Pero es extraño. Todos los demás a quiénes se les ha concedido esta condecoración me han asegurado que no se la merecían.

—Señor —contestó don Miguel con la mayor naturalidad— tenían razón.

1. ¿Quién era Miguel de Unamuno? 2. ¿Era un escritor hispanoamericano o español? 3. ¿Qué clase de hombre fue siempre Unamuno? 4. ¿Qué llegó a ser Unamuno? 5. ¿A qué generación de escritores pertenecía don Miguel de Unamuno? 6. ¿Cómo reconoció Alfonso XIII los méritos de este escritor? 7. ¿Fue, o no, Unamuno a darle las gracias al rey? 8. ¿Qué le dijo Unamuno al rey después de darle las gracias? 9. ¿Duda el rey que Unamuno se merezca la condecoración? 10. ¿Le pareció al rey natural o extraña la contestación de don Miguel? 11. ¿Qué le habían asegurado al rey todos los demás que habían recibido la misma condecoración? 12. ¿Qué contestó el Rector de la Universidad de Salamanca al rey?

B. EJERCICIO ORAL

El quiere que Unamuno le *agradezca* la condecoración. El le pide que *vaya* a Palacio en seguida. Unamuno agradece que el rey *reconozca* sus méritos. Es natural que Unamuno *acepte* esta condecoración. No es extraño que el rey le *diga* a Unamuno lo que le dice en la anécdota. Conociendo a Unamuno tampoco es extraño que *conteste* al rey de esa forma.

Exigen que yo *firme* el contrato. Deseo que usted lo *haga* inmediatamente. Sus padres quieren que él estudie para médico. Piden que Eduardo y su hermano *vayan* con ellos. Deseo que ellos *vuelvan* en seguida. Prefiere que *vengamos* más tarde. No quiero que él *esté* allí mucho tiempo. Dígales que *sean* más cuidadosos con ese trabajo. Los padres de Juan insisten en que *prepare* sus lecciones mejor. Dígale también que *presten* más atención en la clase.

1. ¿Quiere el profesor que ustedes hablen en español o en inglés en la clase? 2. ¿Por qué dice él que prefiere que hablemos solamente en español durante la hora de conversación? 3. ¿Cuántas composiciones dice el profesor que escribamos cada semana? 4. ¿Por qué los padres de Juan no quieren que estudie para médico? 5. ¿Por qué insiste usted en que yo vea esa película mexicana? 6. ¿Por qué exige el gobierno que cada extranjero tenga un pasaporte? 7. ¿Dónde quiere usted que yo lo espere? 8. ¿Por qué insiste el profesor en que pongamos más atención en la clase? 9. ¿Por qué no quiere la madre de Elena que ella salga con tan mal tiempo? 10. ¿Por qué no quiere usted que le diga a Juan la verdad de ese asunto? 11. ¿Dónde prefiere usted que nos encontremos esta noche? 12. ¿Por qué quiere el profesor que los alumnos no hagan tanto ruido?

C. REPASO

1. ¿Quién era Unamuno. 2. ¿Cómo se llamaba el último rey de España? 3. ¿Qué lengua enseñaba Unamuno? 4. ¿De dónde fue Rector don Miguel? 5. ¿Quién tenía una gran entereza de carácter? 6. ¿Era sincero o hipócrita Unamuno? 7. ¿Es importante que un rey reconozca los méritos de sus ciudadanos? 8. ¿Era famosa la sonrisa de Alfonso XIII? 9. ¿Le parece extraño al rey que Unamuno diga que merece la condecoración? 10. ¿Qué decían los demás condecorados por el rey? 11. ¿Cree usted que Unamuno tenía o no tenía razón?

(REPASO DE VOCABULARIO): 1. ¿Qué es lo contrario de *ancho?* 2. ¿Qué es lo contrario de *bonito?* 3. ¿Cuál de los siguientes es un animal (contrato, lodo, vaca, feliz)? 4. ¿Cuál es el

inónimo de la palabra costoso? 5. Si el hermano de mi padre
s mi *tío*, ¿qué es la hermana de mi padre? 6. Cuando entramos
n un tranvía, ¿qué pagamos (pueblo, pasaje, paisaje, paquete)?
. ¿Cuál es la diferencia entre las palabras *sentarse* y *sentirse*?
. ¿En cuál de estas cosas echamos las cartas (contrato, má-
uina, cuento, buzón)? 9. ¿Cuál de estas palabras es lo con-
rario de *triste* (vacío, famoso, feliz, exagerado)? 10. Para
adar, generalmente vamos a (una playa, un café, un cine,
na esquina) 11. Cuando hace mucho calor es muy agradable
entarse (al sol, a la sombra, en el suelo, en el pasillo). 12.
Qué es lo contrario de *lleno*? 13. ¿Cuál de estas cosas se usa
uando llueve (lapicero, mina, ventaja, paraguas)? 14. ¿Cómo
e traduce al inglés "hacer cola"? 15. ¿Qué es lo contrario de
ajar? 16. Algunas personas prefieren vivir en la ciudad; pero
tras prefieren vivir en...... 17. ¿Cuál de las siguientes
rutas es muy agria (plátano, naranja, limón, manzana)? 18.
Cuál es la diferencia entre un manzano y una manzana? 19.
Para qué se usa un *borrador?* 20. ¿Qué es lo contrario de *afor-*
unadamente? 21. ¿Cómo se traduce al inglés "a propósito"?
2. ¿Cuál de estas formas es la correcta: "la clima" o "el cli-
a"?, ¿"el problema" o "la problema"?

OCABULARIO: generación, rector, sinceridad, entereza, ca-
cter, reconocer, méritos, conceder, condecorar, condecora-
ón, cruz, merecer, sonrisa, dudar, extraño, asegurar, natura-
dad, razón.

se las siguientes frases en oraciones:

llegar a ser	condecoración
reconocer los méritos	es natural que
es extraño que	entereza de carácter
distinguirse como	dar las gracias
conceder una	todos los demás

LECCION 40

Diálogo en un hotel

Juan: —Deseo un cuarto individual para esta noche.

Empleado: —¿Tiene usted reservación?

Juan: —No, señor.

Empleado: —Dudo que haya uno disponible.

Juan: —Me extraña que no tenga ni siquiera uno.

Empleado: —Estamos muy ocupados en estos días. ¿Cuánto tiempo piensa permanecer en México?

Juan: —Pienso estar aquí por lo menos una semana.

Empleado: —Lo único que tengo ahora es un cuarto para uno en el octavo piso. A diez dólares diarios; pero no estará desocupado hasta las tres de la tarde.

Juan: —¿Es un cuarto interior o da a la calle?

Empleado: —Es un cuarto interior con baño privado.

Juan: —Eso estará bien. Espero que sea un cuarto tranquilo.

Empleado: —No se preocupe, en ese lado del hotel no se oye ningún ruido. Ahora puede firmar el registro y yo llamaré a un muchacho para que lleve sus maletas.

Juan: —¿Dónde está el comedor del hotel?

Empleado: —En la planta baja. En él servimos desayuno, almuerzo y comida.

Juan: —¿A qué horas sirven ustedes?

Empleado: —Servimos desayuno desde las ocho en punto hasta las once. Servimos almuerzo desde las doce en punto hasta las tres, y comida desde las cinco en punto hasta las ocho.

Juan: —¡Cielos! Eso no me deja mucho tiempo para ver la ciudad, ¿verdad?

1. ¿Quiere Juan un cuarto individual o un cuarto doble? 2. ¿Tiene Juan reservación o no? 3. ¿Qué duda el empleado? 4. ¿Qué le extraña a Juan? 5. ¿Cuánto tiempo piensa permanecer Juan en México? 6. ¿Cuál es el precio del único cuarto disponible en el hotel? 7. ¿En qué piso está situado este cuarto? 8. ¿Es un cuarto interior o da a la calle? 9. Según el empleado, ¿se oye mu

cho o poco ruido en el cuarto? 10. ¿Qué tiene que firmar Juan? 11. ¿Para qué llama el empleado a un muchacho? 12. ¿Hay un comedor en el hotel? 13. ¿A qué horas sirven las comidas? 14. ¿Por qué dice Juan que va a tener muy poco tiempo para ver la ciudad?

B. EJERCICIO ORAL

Siento mucho que Juan no *esté* con nosotros. El tiene miedo que su madre *vaya* a castigarlo. Ella se alegra de que ellos *sean* tan felices. Me sorprende mucho que él *sepa* tanta gramática. Siento mucho que usted no *se sienta* bien. Lamento que no *haga* buen tiempo hoy. Tememos que él no *venga*.

Es importante que ustedes *aprendan* estas reglas. Es necesario que él *vaya* en seguida. Es una lástima que ella no *sepa* español. Es importante que ustedes *pongan* más atención en la clase.

Dudo que *haya* otro como él. No creo que ellos *tengan* mucho dinero. Ella duda que él lo *conozca* bien.

1. ¿Por qué es importante que los alumnos pongan mucha atención en la clase? 2. ¿Por qué es necesario que hablen solamente español durante la lección? 3. ¿Por qué dice el profesor que es una lástima que Juan no pueda venir con más regularidad a la escuela? 4. ¿Por qué duda usted que vaya a aprobar sus exámenes? 5. ¿Por qué duda usted que esta carta llegue a Caracas dentro de dos días? 6. ¿Por qué dice el profesor que es necesario que ustedes lean algunas novelas en español? 7. ¿Se alegra el profesor de que ustedes sepan tan bien la gramática ahora? 8. ¿Por qué teme el muchacho que su madre vaya a castigarlo? ¿Qué hizo? 9. ¿Por qué se alegran tanto los alumnos de que el profesor esté ausente hoy? 10. ¿Por qué duda usted que Juan haya pagado sesenta dólares por su traje nuevo? 11. ¿Por qué duda usted que Elena haya aprendido a hablar francés tan bien en un año? 12. ¿Por qué le extraña a usted que Eduardo esté ausente de la clase hoy? 13. ¿Por qué duda usted que él vaya a sacar buenas notas en la clase de español? 14. ¿Por qué es importante que María vaya al médico en seguida?

C. REPASO

1. ¿Dónde tiene lugar el diálogo de esta lección? 2. ¿Qué personas toman parte en este diálogo? 3. ¿Cuál es, generalmente, más caro, un cuarto individual o un cuarto doble? 4. ¿Cuál es, generalmente, más caro, un cuarto con baño privado o un cuarto sin baño? 5. ¿Cuál prefiere usted, un cuarto interior o un cuarto que da a la calle? 6. ¿Son los cuartos que dan a la calle, generalmente, más caros o menos caros que los cuartos interiores? 7. ¿En cuáles se oye más ruido, en los cuartos interiores o en los que dan a la calle? 8. ¿Cómo se hace una reservación anticipada para un cuarto? 9. ¿Cuál es el propósito de hacer una reservación anticipada? 10. ¿Es siempre fácil conseguir cuartos en los hoteles de las ciudades grandes o es algunas veces difícil? 11. ¿Cuál es el precio normal de un cuarto individual en un hotel de una ciudad grande? 12. ¿Cuál es el precio normal de un cuarto doble? 13. ¿Incluyen estos precios las comidas diarias o hay que pagarlas separadamente? 14. ¿Cuáles son las ventajas y desventajas de incluir las comidas en el precio del cuarto? 15. ¿Le gusta o no le gusta a usted comer en el comedor de un hotel? 16. ¿Son los precios en los comedores de los hoteles generalmente bajos o altos?

(REPASO DEL PRETERITO): 1. ¿A qué hora empezó ayer su lección de español? 2. ¿Dónde compró usted su libro de español? 3. ¿Cuánto pagó por él? 4. ¿Cuántos libros trajo usted a la clase esta mañana? 5. ¿Cuándo fue la última vez que usted estuvo resfriado? 6. ¿A qué hora llegó usted a la escuela esta mañana? 7. ¿A qué hora se levantó usted esta mañana? 8. ¿A qué hora salió de su casa? 9. ¿Cuánto le costó su cuaderno? 10. ¿Aprobó usted su último examen de español? 11. ¿Cuántas tazas de café tomó usted ayer? 12. ¿A qué hora cenó usted anoche? 13. ¿Comió usted en casa o en un restaurante? 14. ¿Les dio el maestro a ustedes mucha o poca tarea? 15. ¿A qué hora se acostó usted anoche? 16. ¿Se durmió usted en seguida o tardó mucho tiempo en dormirse? 17. ¿Durmió bien o mal anoche? 18. ¿Cometió usted muchos o pocos errores en su último examen? 19. ¿Qué artículos leyó usted en el periódico esta mañana? 20. ¿Cómo vino usted a la escuela, en metro o en autobús? 21. ¿Qué película vio usted en el cine anoche?

22. ¿Cuándo fue la última vez que usted escribió una carta a algún amigo? 23. ¿Cómo mandó la carta, por correo aéreo o por correo ordinario? 24. ¿Cuánto tiempo pasó usted estudiando anoche? 25. ¿Dónde estuvo usted anoche?

VOCABULARIO: individual, reservación, dudar, disponible, extrañarse, siquiera, permanecer, desocupado, interior, dar a la calle, tranquila, preocuparse, registro, maleta, comedor, miedo, alegrarse, lástima, aprobar, baño, privado, anticipado, conseguir, normal, necesario, doble.

Use las siguientes frases en oraciones:

ni siquiera
por lo menos
al presente
en punto
tener miedo

alegrarse de
aprobar exámenes
en un año
una reservación *anticipada*

LECCION 41

En el teléfono

Secretaria: —(Tomando el receptor) Aló...
Señorita A:—Oigame, desearía hablar con el señor Martínez.
Secretaria: —Lo siento, pero el señor Martínez no está aquí en este momento.
Señorita A:—¿Quién habla, por favor?
Secretaria: —La secretaria del señor Martínez.
Señorita A:—¿Volverá pronto el señor Martínez?
Secretaria: —Yo creo que regresará esta tarde. ¿Desearía dejar algún mensaje para él?
Señorita A:—Muchas gracias; solamente dígale que la señorita Avalos lo ha llamado.
Secretaria: —¿Desea usted que el señor Martínez la llame en cuanto llegue?
Señorita A:—Sí, si hace el favor. El número del teléfono es MO-2-3109. Yo estaré en mi oficina toda la tarde.
Secretaria: —Muchas gracias, señorita Avalos. Yo le diré al señor Martínez que la llame tan pronto como él llegue.
Señorita A:—Mil gracias. Adiós.

1. En el diálogo anterior, ¿quiénes hablan por teléfono? 2. ¿Qué coge usted antes de hablar por teléfono? 3. ¿Con quién quiere hablar la señorita Avalos? 4. ¿Está en su oficina el señor Martínez? 5. ¿A qué hora dice la secretaria que el señor Martínez volverá? 6. ¿Qué mensaje deja con la secretaria la señorita Avalos? 7. ¿Tiene usted teléfono? ¿Cuál es el número? 8. ¿Tiene usted dificultad al usar el teléfono? 9. ¿Qué sucede si usted llama a un número equivocado? 10. Si alguien llama por teléfono y se equivoca, ¿qué contesta usted? 11. ¿Ha hablado alguna vez en español por teléfono? 12. ¿Tendría usted dificultad en hacerse entender en español por teléfono?

B. EJERCICIO ORAL

Hablaré con Elena en cuanto *llegue*. Le preguntaremos a Juan cuando *venga*. Tenemos que hacer esto antes de que *salgan* los alumnos. Hágame el favor de no salir hasta que yo *regrese*. Iremos a la playa a menos que *llueva*. Dice que nos llamará aunque sea muy tarde. Saldrán en avión sin que nadie lo sepa. No se lo diga a Juan hasta que *tengamos* tiempo para pensarlo. Esperaré aquí hasta que *vuelvan*.

No hay nadie que *sepa* español tan bien como ella. No hay ningún libro que *sirva* para eso.

Necesitamos un hombre que *hable* bien el español. Buscan a una persona que *sepa* manejar automóvil.

1. ¿Dónde podemos esperar hasta que el director pueda hablar con nosotros? 2. ¿Seguirá usted estudiando español hasta que lo sepa bien o dejará de estudiar al fin de este curso? 3. ¿Por qué están buscando en esa oficina a una persona que sepa bien español? 4. ¿Por qué dice usted que no hay nadie en su clase que hable español perfectamente? 5. ¿Preparará usted sus lecciones esta noche en cuanto llegue a casa, o esperará hasta más tarde? 6. ¿Por qué busca Juan a alguien que pueda darle clases particulares de conversación? 7. ¿Por qué dice usted que irá mañana a la playa aunque llueva? 8. ¿Por qué dice usted que no trabajará allí a menos que reciba un buen sueldo? 9. ¿Irá usted a la fiesta con tal que lo inviten? 10. ¿Saldrán ustedes de la clase tan pronto como suene el timbre? 11. ¿Se aburre usted a veces en su clase aunque el profesor sea muy bueno? 12. ¿Por qué dice usted que no hay ningún país que tenga paisaje más hermoso que el de Suiza?

C. REPASO

1. ¿Cuántas llamadas telefónicas hace usted diariamente? 2. ¿Cuántas llamadas telefónicas recibe usted diariamente? 3. Generalmente, ¿hace usted más llamadas telefónicas de las que recibe? 4. ¿Ha tenido usted alguna vez oportunidad de hablar por teléfono en español? 5. ¿Cuál es la diferencia entre una llamada telefónica local y una de larga distancia? 7. Cuando usted quiere hacer una llamada de larga distancia, ¿puede hablar directamente, o debe comunicarse primero con la operadora? 8. ¿Qué dice usted después de comunicarse con la ope-

radora? 9. ¿Aproximadamente cuánto cuesta una llamada telefónica de larga distancia desde Nueva York a Miami? 10. ¿Es más caro llamar de día o de noche? 11. ¿Cuál es más cara, una llamada de *persona* a *persona*, o una llamada de *estación* a *estación*? 12. Cuando usted quiere hablar por teléfono, ¿toma usted el receptor o lo cuelga? 13. ¿Qué hace cuando termina, toma el receptor o lo cuelga? 14. ¿Cómo se dice en español, "the line is busy"? 15. ¿Cómo se dice en español "Operator, we have been cut off"?

(REPASO DE VOCABULARIO): 1. ¿Qué es lo contrario de *limpio?* 2. ¿Qué es lo contrario de *útil?* 3. ¿Cuál de los siguientes es un animal muy fuerte (pájaro, perro, gato, toro)? 4. Si uno trabaja, gana un (timbre, curso, sueldo, premio). 5. ¿Cuál de las siguientes cosas usamos en un restaurante? (novela, menú, hoja, señal) 6. ¿Cuál de los siguientes es un insecto? (museo, carro, gesto, hormiga) 7. Tomamos café en (una fuente, un plato, un vaso, una taza). 8. ¿En cuál de estas cosas puede uno mirarse? En un (pueblo, espejo, buzón, anillo) 9. Las vacas generalmente comen (arroz, carne, hierba, cualquier cosa). 10. ¿Cuál es la forma sustantiva del adjetivo *famoso?* 11. ¿Cuál es la forma sustantiva del adjetivo *confuso?* 12. ¿Qué es lo contrario de *largo?* 13. ¿Cuál de los siguientes es un pez? (saltamontes, trucha, vaca, caballo) 14. ¿Cuál de las siguientes palabras es una conjunción? (entre, aunque, debajo de, allí) 15. ¿Cuál es la forma sustantiva del verbo *llover?* ¿Del verbo *nevar?* 16. ¿Cuál de estas cosas vive debajo de la tierra? (gusano, pájaro, policía, operadora) 17. ¿Cuál de estas palabras es sinónimo de *similar?* (exacta, parecido, bonito, alto) 18. ¿Cuál de estas palabras es sinónimo de *despacio?* (rápido, barato, antiguo, lento) 19. Siempre compramos huevos por (correo, teléfono, docena, placer). 20. ¿Cuál de los siguientes es sinónimo de *con frecuencia?* (regularmente, de vez en cuando, siempre, a menudo).

VOCABULARIO: receptor, secretaria, regresar, mensaje, señorita, tan pronto como, suceder, incorrecto, sueldo, invitar, con tal que, timbre, en cuanto, telefónica, colgar, distancia, oportunidad, operadora, tierra.

Use las siguientes frases en oraciones:

en este momento	antes (de) que
dejar un mensaje	con tal que
en cuanto	a menos que
tan pronto como	sin que
toda la tarde	hasta que

LECCION 42

*En la Botica**

Juanito: —Buenos días, señor boticario.**

Boticario: —Buenos días, Juanito. ¿Cómo sigue tu mamá?

Juanito: —Bastante mejor, gracias.

Boticario: —Y, ¿en qué puedo servirte?

Juanito: —Mi mamá me dijo que viniera y le pidiera a usted una cajita de píldoras para la tos; que no sean muy fuertes ni tengan mal sabor.

Boticario: —Y que no cuesten mucho, ¿verdad? Pues tenemos éstas que son muy buenas; pero dile que no las mastique, que las deje derretir en la boca y, en caso que se sienta peor, que llame al médico.

Juanito: —Sí, señor, yo se lo diré. ¿Cuánto es? Mi mamá no me dio más que veinticinco centavos.

Boticario: —Espera hasta que consulte la lista de precios, pero no creo que cuesten más de eso. ¡Ah! se me olvidaba, ¿vas para casa en seguida o tienes que detenerte en alguna parte?

Juanito: —Voy para casa. ¿Por qué me pregunta usted eso? ¿Quiere que le haga algún mandadito?

Boticario: —Pues, hombre, me gustaría que me hicieras el favor de pasar por la casa de la señora Blanco y le dejaras esta medicina que ella necesita.

Juanito: —Sí, señor, con mucho gusto, está en mi camino y no es molestia para mí.

Boticario: —Muchas gracias; Dios te lo pague. Y no te olvides de darle mis recuerdos a tu mamá.

Juanito: —Muchas gracias. Adiós.

1. ¿Dónde tiene lugar este diálogo? 2. ¿Quiénes toman parte en este diálogo? 3. Al entrar en la botica, ¿qué le dice Juanito al boticario? 4. ¿Cómo le contesta el boticario? 5. ¿Quién ha mandado a Juanito a la botica? 6. ¿Qué clase de píldoras quiere Juanito, para la tos o para el catarro? 7. ¿Quiere Juanito píldoras que sean muy caras o baratas? 8. ¿Quiere Juanito píldoras que tengan buen o mal sabor? 9. ¿Qué le aconseja el boticario que

* También *farmacia.*
** También *farmacéutico.*

haga su madre si ella se siente peor? 10. ¿Cuánto dinero le dio la madre de Juanito a él para comprar las píldoras? 11. ¿Qué mandado quiere el boticario que Juanito le haga? 12. ¿A quién manda el boticario sus recuerdos?

B. EJERCICIO ORAL

El boticario quiere que Juanito le haga un mandado. El boticario quería que Juanito le *hiciera* (hiciese) un mandado. La madre de Juan le dice que vaya a la botica. La madre de Juan le dijo que *fuera* (fuese) a la botica. El desea píldoras que no tengan mal sabor. El deseaba píldoras que no *tuvieran* mal sabor. Yo quiero que usted me haga ese favor. Yo quisiera que usted me *hiciera* ese favor. Es necesario que vengan en seguida. Fue necesario que vinieran en seguida. El insiste en que esperemos aquí. Insistió en que esperáramos aquí. Es lástima que Raquel no pueda ir. Fue lástima que Raquel no pudiera ir.

Me dijeron que los *acompañara*. Querían que lo hiciera inmediatamente. El gobierno exigía que todos los barcos se *detuvieran* para inspección. Le dije a Juan que *cambiara* su curso. Fue preciso que ella *dijera* la verdad. Temían que el tren no *llegara* a tiempo. No quería que su hijo *fuera* comerciante.

1. En el diálogo de esta lección, ¿a dónde le dijo la madre de Juanito que fuera? 2. ¿Dijo Juanito que quería píldoras que fueran baratas o caras? 3. ¿Dijo él que quería píldoras que tuvieran un buen o mal sabor? 4. ¿Qué le aconsejó el boticario que hiciera su madre en caso que se sintiera peor? 5. ¿Qué mandado quería el boticario que Juanito le hiciera? 6. ¿Por qué le dijo el profesor a Ricardo que saliera de la clase? 7. ¿Por qué dijo también a los otros alumnos que prestaran más atención en la clase? 8. ¿Se alegraron sus padres de que usted sacara tan buenas notas en sus últimos exámenes? 9. ¿Por qué fue necesario que usted llegara temprano a la escuela esta mañana? 10. ¿Por qué fue preciso que usted se quedara en casa anoche en vez de ir al cine? 11. ¿Quién le pidió a usted que trajera unos discos a la fiesta? 12 .¿Quién le pidió a usted que le ayudara con sus tareas? 13. ¿Quién llamó al médico para que viniera a ver a su padre? 14. ¿Qué le dijo el médico a su padre que hiciera para curarse?

C. REPASO

1. ¿Qué es lo que se vende en una botica? 2. Si tiene usted tos, ¿qué medicina toma? 3. Si toma píldoras, ¿las mastica o las deja derretir en la boca? 4. Si las píldoras son amargas, ¿es agradable o desagradable dejarlas derretir en la boca? 5. ¿Cuál es la forma verbal de la palabra *tos?* 6. ¿Prefiere usted tomar píldoras que tengan un buen o mal sabor? 7. ¿Tienen todas las medicinas un mal sabor? 8. ¿Va usted directamente a su casa después de la clase o se detiene a veces en algún lugar? 9. ¿Le hace usted muchos o pocos mandados a su madre? 10. ¿Es una molestia para usted hacer mandados? 11. ¿Cómo se dice en inglés "No se moleste"? 12. ¿Quién les mandó recuerdos a sus padres cuando usted fue de visita a la casa de Juan?

(REPASO-el verbo *hacer*): 1. ¿Qué temperatura hace hoy? 2. ¿Qué tiempo hace? 3. ¿Hace mucho o poco viento? 4. ¿Hacen los alumnos mucho o poco ruido en la clase? 5. ¿Qué está haciendo Juan ahora? 6. ¿Qué está haciendo usted ahora? 7. ¿Qué estaba haciendo usted ayer a esta hora? 8. ¿Qué estará haciendo mañana a esta hora? 9. ¿Qué ha estado haciendo usted todo el día de hoy? 10. ¿Qué hizo usted anoche? 11. ¿Qué hicieron Eduardo y Enrique anoche? 12. Cuando usted fue anoche a la casa de Juan, ¿estaba haciendo él su tarea o ya la había hecho? 13. ¿Hace sol hoy? 14. ¿Hacía sol cuando usted salió de su casa por la mañana? 15. ¿Le gusta o no le gusta a usted hacer viajes en automóvil? 16. ¿Hizo usted bien o mal en decidir estudiar español? 17. ¿Siempre le hace usted caso a su madre cuando ella le dice que vuelva temprano a casa? 18. ¿Qué mandado quiere su mamá que usted haga? 19. ¿Qué favor pidió Juan que usted le hiciera? 20. ¿Cómo se hizo rico el padre de Carlos? 21. ¿Siempre le hacen bien las medicinas o a veces le hacen daño?

VOCABULARIO: boticario, botica, sabor, masticar, derretir, boca, consultar, mandado, (mandadito), camino, molestia, molestar, recuerdos, catarro, detenerse, barco, inspección, preciso, hijo, comerciante, disco, curarse, daño, decidir, rico, farmacia, farmacéutico.

Use las siguientes frases en oraciones:

hacer mandados
hacer un favor
olvidarse de
hacer calor (frío)
hacer buen o mal
   tiempo

hacer sol (viento)
hacer caso
hacer daño
hacer viajes
hacerse rico
en alguna parte

LECCION 43

Los tres deseos

La mujer de cierto labrador pasaba la mayor parte del tiempo deseando cosas que ella no poseía. Algunas veces decía: "Ojalá yo fuera bonita". Con frecuencia decía: Ojalá fuera rica"; y otras veces: "Ojalá tuviera un esposo guapo". Por lo tanto, un día unas hadas decidieron concederle tres gracias como experimento.

El labrador y su mujer hablaron largo rato sobre lo que ella debía pedir. Pero la mujer del labrador de pronto sintió un poco de hambre, y por fuerza de hábito, dijo que ella deseaba tener algunas salchichas para comer. Inmediatamente su canasta de compras se llenó de salchichas. Entonces una discusión desagradable comenzó porque el esposo dijo que su esposa había usado uno de sus valiosos deseos en una cosa tan barata como salchichas. La discusión se acaloró, y finalmente enojada, la mujer dijo que ella deseaba que las salchichas estuvieran colgando de la nariz de su esposo. Inmediatamente la ristra de salchichas voló hasta la nariz del pobre hombre y se quedaron allí. No se podían desprender.

Ahora había solamente una cosa que la pobre mujer podía hacer. Ella quería a su marido y tuvo que usar su tercer deseo en quitarle las salchichas de la nariz. Así, con la excepción de unas cuantas salchichas, ella no ganó nada de sus tres deseos.

1. ¿Cómo pasaba el tiempo la mujer de cierto labrador? 2. ¿Qué decía ella muy a menudo? 3. ¿Qué cosas deseaba ella? 4. ¿Qué decidieron concederle unas hadas a la mujer como experimento? 5. ¿Sobre qué hablaron el labrador y su mujer un largo tiempo? 6. ¿Sintió de pronto la mujer del labrador un poco de hambre o un poco de sed? 7. ¿Qué dijo ella que deseaba tener? 8. ¿Deseó ella tener salchichas por necesidad o por fuerza de hábito? 9. ¿Con qué se llenó inmediatamente su canasta de compras? 10. ¿Qué clase de discusión comenzó entonces? 11. ¿Sobre qué discutieron el labrador y su mujer? 12. Un poco enojada, ¿qué dijo la mujer que ella deseaba? 13. ¿Qué pasó entonces con la ristra de salchichas? 14. ¿Había muchas cosas o solamente una cosa que la pobre mujer podía hacer? 15. ¿Cómo tuvo ella que usar su tercer deseo? 16. ¿Qué ganó ella así de sus tres deseos?

B. EJERCICIO ORAL

Ojalá (que) él *venga* a tiempo. Ojalá (que) yo *tuviera* el día libre. Ojalá *pudiera* bailar tan bien como usted. Ojalá *sea* un día bueno. Ojalá Juan *estuviera* aquí.

Quisiera que hoy *fuera* sábado. Ella quisiera ir con nosotros. Ella quisiera que yo la *acompañara*. Yo quisiera ver esa película. Yo quisiera que usted *viera* esa película. El quisiera hacerlo hoy. El quisiera que usted lo *hiciera* hoy.

1. ¿Dónde quisiera usted pasar sus vacaciones? 2. ¿Por qué quisiera usted poder hablar español bien? 3. ¿Por qué dice el profesor que quisiera que ustedes pusieran más atención en la clase? 4. ¿Por qué dice él que quisiera que preparasen sus tareas mejor? 5. ¿Dónde quisieran usted y su amigo ir esta noche? 6. ¿Qué quisiera usted que Juan le comprara como regalo cuando vaya a México? 7. ¿Por qué quisieron los padres de Enrique que él estudiara para abogado? 8. ¿Le gustaría a usted hacer un viaje a Suramérica? 9. ¿Le gustaría tener muchos amigos españoles para poder conversar con ellos en español?

10. ¿Quisiera usted tener más práctica en conversación? 11. ¿Por qué dice el profesor que quisiera que ustedes tuvieran más práctica en conversación? 12. ¿Qué países de Suramérica quisiera usted visitar?

C. REPASO

1. La mujer de la anécdota de esta lección pasaba el tiempo trabajando para ganar cosas que no poseía, o deseándolas nada más? 2. ¿Pasa usted mucho o poco tiempo deseando cosas que no posee? 3. ¿Cuál es la moraleja de la anécdota de esta lección? 4. ¿Cuáles eran algunas de las cosas que la mujer quisiera haber tenido? 5. ¿Cómo pasa usted la mayor parte de su tiempo, durmiendo, trabajando, o estudiando? 6. ¿Cómo pasa usted la mayor parte del tiempo los domingos? 7. ¿Cómo pasan ustedes la mayor parte del tiempo en la clase de español, leyendo, escribiendo o conversando? 8. ¿Cuál es la diferencia entre un hábito y una costumbre? 9. ¿Es fumar un hábito o una costumbre? 10. ¿Tiene usted muchos malos hábitos? 11. ¿Es fácil o difícil perder un hábito? 12. ¿Tiene usted a veces discusiones acaloradas? 13. ¿Le gusta o no le gusta a usted discutir acaloradamente? 14. ¿Quería a su esposo la mujer de la anécdota? 15. ¿Qué hizo ella para demostrar que lo quería mucho?

(REPASO-el verbo *poner*): 1. ¿Ponen ustedes mucha o poca atención a la lección? 2. ¿Dónde pone usted sus libros cuando entra en la clase? 3. ¿Dónde puso usted sus libros cuando entró en la clase esta mañana? 4. ¿Dónde pondrá usted sus libros cuando entre en la clase mañana? 5. ¿Se pone usted los guantes antes o después de salir? 6. ¿Por qué se está poniendo Juan el sombrero? 7. ¿Por qué no se puso Elena su abrigo antes de salir? 8. ¿A qué hora se pone el sol todos los días? 9. ¿A qué hora se puso el sol ayer? 10. ¿A qué hora se pondrá el sol mañana? 11. ¿Quién ha puesto esos libros sobre la mesa? 12. Cuando usted llegó a casa anoche, ¿estaba su madre poniendo la mesa para comer o ya la había puesto? 13. ¿A qué hora se puso usted a estudiar anoche? 14. ¿Por qué se puso bravo el profesor cuando Enrique dijo que no había preparado su tarea? 15. ¿Por qué se puso colorado Juan cuando María lo abrazó? 16. ¿Por qué se puso bravo Eduardo cuando supo que no había aprobado sus exámenes? 17. ¿Por qué dice el profesor que pongan ustedes más cuidado al hacer sus ejercicios? 18. ¿Por qué les dijo el profesor a ustedes que pusieran más atención en la clase? 19. ¿Cuáles ponen huevos, los gallos o las gallinas? 20. ¿Ha visto usted alguna vez a una gallina poner un huevo?

VOCABULARIO: poseer, ojalá, esposo(a), hada, conceder, deseo, experimento, salchicha, canasta, compra, discusión, ristra, volar, necesidad, valioso, fuerza, hábito, libre, acalorarse, conversar, práctica, abrazar, gallina, gallo, moraleja, gracia, desprender.

Use las siguientes frases en oraciones:

la mayor parte	fuerza de hábito
algunas veces	*poner* a hacer
con frecuencia	poner atención
otras veces	ponerse el sol
sentir hambre	poner un huevo
por lo tanto	ponerse bravo (colo-
como experimento	rado), etc.
un largo tiempo	poner la mesa

LECCION 44

Lentes para leer

El gran escritor y crítico español del siglo pasado, Juan Valera, nos cuenta que un aldeano entró por casualidad en la tienda de un óptico. En ese momento estaba allí una señora anciana que quería comprar unos lentes. La señora iba probándose los lentes que estaban encima de la mesa. Luego miraba un periódico y decía:

—Con estos no leo.

Repitió la operación siete u ocho veces, hasta que al fin, después de ponerse otros lentes miró el periódico y dijo:

—Con estos leo perfectamente.

Luego los pagó y se los llevó.

El aldeano quiso imitar a la señora. Empezó a ponerse lentes y a mirar en el mismo periódico. Terminaba la operación diciendo siempre:

—Con estos no leo.

Después de hacer lo mismo durante media hora y haberse probado cuatro docenas de lentes el aldeano aún continuaba diciendo:

—No leo con estos.

El tendero, que lo estaba observando, lo interrumpió:

—Pero, ¿sabe usted leer?

—Pues si yo supiera leer, ¿para qué tendría que comprar lentes?

1. ¿Dónde tiene lugar lo que se cuenta en esta anécdota? 2. ¿Quién es el autor? 3. ¿Quién fue Juan Valera? 4. ¿Por qué razón entró el aldeano en la óptica? 5. ¿Quién estaba allí en ese momento? 6. ¿Qué quería comprar la anciana? 7. Si la anciana tuviera buena vista, ¿necesitaría lentes? 8. ¿Qué hacía la señora después de probarse los lentes? 9. Si la señora no supiera leer, ¿miraría el periódico? 10. ¿Qué decía la señora al mirar el periódico con los lentes puestos? 11. ¿Cuántas veces repitió esta operación la anciana? 12. ¿Qué dijo la señora después de probarse siete u ocho pares de lentes? 13. ¿Qué hizo la señora después de pagar por los lentes? 14. ¿Qué quiso hacer el aldeano? 15. ¿Sabía leer el aldeano? 16. ¿Quién estaba observando al aldeano? 17. ¿Qué contestó el aldeano cuando el tendero le dijo si sabía leer?

B. EJERCICIO ORAL

El aldeano no sabía leer, pero aunque *supiera leer,* si no *tuviera* buena vista *tendría* que usar lentes. El profesor tiene buena vista, pero si no la *tuviera,* necesitaría lentes también. Yo nunca tengo mucho tiempo libre, pero si lo *tuviera, leería* más libros en español. Si María *practicara* más *podría hablar* español mejor. Si yo *tuviera* hoy el día libre *iría* a la playa. Si yo *supiera* nadar bien *iría* a la playa todos los días. Si yo *estuviera* en la Florida ahora *podría* ir a nadar todos los días. Si Juan *supiera* hablar español bien *podría conseguir* un buen empleo. Si yo *pudiera tocar* el piano tan bien como usted tocaría todas las noches. Si hoy *hiciera* buen tiempo nosotros *iríamos* a dar un paseo por el parque. Si yo *fumara* tanto como usted me *enfermaría.* El aldeano dijo que si él *supiera* leer, ¿para qué *tendría que comprar* los lentes? Si el aldeano *fuera* tan culto como la señora, naturalmente, no *entraría* en la tienda si no *tuviera* necesidad de comprarse unos lentes.

1. ¿Hablaría usted español mejor o peor si tuviera más práctica diaria en conversación? 2. Si usted tuviera mucho tiempo libre, ¿iría usted al cine con más o con menos frecuencia? 3. Si usted pudiera hablar español bien, ¿continuaría estudiando o dejaría de estudiar? 4. Si usted preparara sus tareas más cuidadosamente, ¿sacaría mejores o peores notas? 5. Si hubiera más alumnos en su clase, ¿tendría usted más o menos oportunidad de hablar? 6. Si hoy fuera domingo, ¿adónde iría usted y qué haría? 7. ¿Si hoy fuera un día de fiesta, ¿adónde iría y qué haría? 8. Si usted fuera millonario, ¿cree usted que sería menos o más feliz que ahora? 9. Si usted no tuviera que trabajar o estudiar, ¿cómo pasaría el tiempo? 10. Si usted estuviera en la Florida ahora, ¿qué haría primero? 11. Si usted supiera español perfectamente, ¿qué otro idioma empezaría a estudiar? 12. Si usted *tuviera* un helicóptero propio, ¿*viviría* más cerca o más lejos de la ciudad? 13. Si usted estuviera de vacaciones ahora, ¿cómo pasaría el tiempo? 14. Si usted pudiera visitar cualquier país del mundo, ¿qué país preferiría visitar?

C. REPASO

1. ¿Era el aldeano un hombre bien preparado? 2. ¿Cómo se llama a la persona que no sabe leer? 3. ¿Era analfabeta la señora que

se probaba los lentes? 4. ¿Quería la señora imitar al aldeano o el aldeano a la señora? 5. ¿Es posible o imposible enseñar a leer a un aldeano? 6. ¿Cuántas veces repitió la señora la operación de probarse lentes y mirar el periódico? 7. ¿Durante cuánto tiempo estuvo el aldeano haciendo esta misma operación? 8. ¿Cuántas docenas de lentes se probó el aldeano? 9. ¿Quién interrumpió al aldeano en su operación? 10. ¿Qué le dijo el tendero al aldeano? 11. Si el aldeano tuviera buena vista y supiera leer, ¿haría lo que hizo? 12. ¿Diría lo que dijo el aldeano si supiera leer?

(REPASO DE VOCABULARIO): 1. ¿Cuál de las siguientes palabras es lo contrario de *barato?* (caluroso, maduro, eminente, caro). 2. ¿Cuál de los siguientes es una legumbre? (flor, dolor, lechuga, siglo). 3. ¿Cuál de estas palabras es sinónimo de *acabar?* (terminar, empezar, continuar, coger). 4. ¿Cuál es más grande, una *cuchara* o una *cucharita?* 5. ¿Qué es lo contrario de *salvaje?* 6. ¿Qué es lo contrario de *seco?* 7. ¿Cuál es el número ordinal que corresponde al número cardinal *seis?* ¿Al número cardinal *ocho?* 8. ¿Cuál es la diferencia de significado entre *dormir* y *dormirse?* 9. ¿Cuál es la diferencia de significado entre *ir* e *irse?* 10. ¿Cuál de las siguientes cosas ponemos en un sobre? (noticia, sello, dibujo, señal) 11. ¿Cuál de estas cosas es una fruta? (lapicero, león, gesto, plátano) 12. Una persona que no dice la verdad es (un abogado, un mentiroso, un escritor, un mudo). 13. Las personas que no pueden ver son (felices, sordas, ciegas, calladas). 14. ¿Cuál de éstos espera usted que nunca entre en su casa? (un ladrón, un camarero, una operadora, un boticario). 15. Cuando usted termina de usar el teléfono, ¿qué hace con el receptor? (cogerlo, mirarlo, colgarlo, arreglarlo). 16. ¿Qué es lo contrario de *izquierda?* 17. Cuando usted termina de usar el radio, ¿qué hace? (encenderlo, enfrentarlo, apagarlo, poseerlo). 18. Una persona que olvida con facilidad las cosas es (científica, comercial, divertida, distraída). 19. ¿Cuál de estas palabras es sinónimo de *regresar?* (llegar, decidir, volver, permanecer). 20. ¿Cuál es la forma verbal del adjetivo *limpio?*

VOCABULARIO: crítico, siglo, aldeano, por casualidad, tienda, óptica, óptico, anciana, lentes, probarse, al fin, imitar docena, tendero, interrumpir, par(es).

Use las siguientes frases en oraciones:

iba probándose lentes
repitió la operación
al fin
hacer lo mismo
continuaba diciendo

quiso imitar a
después de probarse
los lentes
si yo supiera leer
por casualidad

LECCION 45

Una anécdota

Un agricultor pobre tenía un amigo, también agricultor, que tenía fama por los grandes y hermosos manzanos que cultivaba. Un día este amigo le dio a su amigo pobre un manzano joven y le dijo que lo llevara a su finca y lo plantara. El agricultor pobre estaba muy contento con este regalo, pero cuando llegó a su casa no sabía en dónde plantar el manzano. Si plantaba el árbol cerca del camino, él creía que algunas personas robarían las manzanas. Si lo plantaba en uno de sus campos, sus vecinos vendrían por la noche a robar las manzanas. Si plantaba el manzano cerca de su casa, sus hijos se comerían las frutas. Finalmente, lo plantó en lo más espeso del bosque que tenía en su finca, donde nadie podría verlo. Pero, naturalmente, el manzano no recibía luz ni estaba plantado en tierra fértil y por lo tanto se secó y murió.

Algún tiempo después, su amigo le preguntó por qué había plantado el árbol en semejante lugar. "¡Vaya! ¡Qué importa!", contestó enojado el agricultor pobre a su amigo. "Si lo hubiera plantado cerca del camino, alguien habría robado las frutas. Si lo hubiera plantado en mis campos, mis vecinos habrían robado las manzanas por la noche. Si lo hubiera plantado cerca de mi casa, mis propios hijos se habrían comido las manzanas".

"Sí", —respondió el amigo. —"Pero por lo menos alguien

habría comido las manzanas; pero ahora, a causa de una acción tan tonta de parte suya, usted ha privado a todos de esas frutas y también ha destruido un buen árbol".

1. ¿Por qué era famoso el amigo del campesino pobre? 2. ¿Qué árboles frutales cultivaba el amigo? 3. ¿Qué le dio el amigo al campesino un día? 4. ¿Qué le dijo él al campesino que hiciera con el árbol joven? 5. ¿Estaba el campesino contento o no con el regalo? 6. ¿Qué creía él que podría pasar si él plantara el árbol cerca del camino? 7. ¿Qué pasaría si él lo plantara en sus campos? 8. ¿Qué pasaría si él plantara el árbol cerca de su casa? 9. ¿Dónde plantó él el árbol finalmente? 10. ¿Qué le pasó, naturalmente, al árbol, sin luz del sol y sin tierra fértil? 11. ¿Qué le preguntó más tarde el amigo al campesino? 12. ¿Qué dijo el campesino que habría pasado si él hubiera plantado el árbol cerca del camino? 13. ¿Qué habría pasado si él hubiera plantado el árbol en sus campos? 14. ¿Qué habría pasado si él hubiera plantado el árbol cerca de su casa? 15. ¿Cómo contestó el amigo a lo que le dijo el campesino?

B. EJERCICIO ORAL

Si Juan *hubiera estudiado* con más interés, él *habría pasado* sus exámenes. Si el agricultor *hubiera plantado* el árbol en mejor lugar, *habría crecido* bien. Si Ud. me *hubiera llamado* por teléfono, yo *habría tenido* mucho gusto en ir a verlo. Juan *habría ido* anoche con nosotros al cine, si no *hubiera estado* tan ocupado. Si yo *hubiera sabido* el número de su teléfono, lo *habría llamado*. Yo le *habría traído* el libro, si *hubiera sabido* que Ud. lo necesitaba. El *habría* progresado más en sus estudios, si *hubiera ido* a sus clases con regularidad. Si *hubiera hecho* mejor tiempo ayer, nosotros *habríamos* ido a la playa.

1. Si ayer hubiera sido un día de fiesta, ¿adónde habría pasado el día? 2. Si usted hubiera estudiado español hace muchos años, ¿habría tenido que tomar este curso ahora? 3. Si usted hubiera estado en Florida el invierno pasado, ¿cómo habría pasado su tiempo? 4. Si usted hubiera tenido más tiempo para preparar sus lecciones, ¿habría usted progresado más o menos en español? 5. Si el campesino de la anécdota de esta lección hubiera plantado el árbol en un buen lugar, ¿habría crecido bien el árbol? Si él hubiera plantado el árbol cer-

ca del camino, ¿cree usted que desconocidos habrían robado las frutas? 7. Si usted se hubiera levantado tarde esta mañana, ¿habría llegado a la escuela a tiempo o tarde? 8. Si ayer hubiera sido domingo, ¿habría usted ido a la escuela como de costumbre o habría pasado su tiempo de otra manera? 9. Si usted hubiera nacido en España, ¿qué idioma habría aprendido de niño? 10. Si usted hubiera nacido en Francia, ¿qué idioma habría aprendido de niño? 11. Si usted hubiera hecho un viaje a Europa el verano pasado, ¿qué países habría visitado? 12. Si usted hubiera tenido un carro el pasado fin de semana, ¿adónde habría ido? 13. Si usted hubiera estado libre anoche para ir al cine, ¿qué película habría ido a ver? 14. Si usted hubiera tenido más lecciones de español, ¿habría aprendido usted más rápidamente?

C. REPASO

1. ¿En la anécdota de esta lección hizo el campesino bien o mal al plantar el árbol en lo más espeso del bosque? 2. ¿Qué es necesario para el mejor crecimiento de un árbol? 3. ¿Crecen todos los árboles fácilmente, o algunos necesitan especial cuidado? 4. ¿Cuál es la mejor estación del año para plantar árboles? 6. ¿En qué estación del año dan frutas los árboles? 7. ¿Qué clase de árbol da manzanas? 8. ¿Qué clase de árbol da peras? 9. ¿Dan frutas todos los árboles o solamente ciertos árboles? 10. Nombre algunas frutas comunes en español. 11. ¿Cuál es su fruta favorita? 12. Si usted corta una manzana, ¿qué encuentra adentro? 13. Si usted corta un melocotón, ¿qué encuentra adentro? 14. ¿Cómo llamamos la parte que cubre la manzana? 15. ¿Cómo llamamos la parte de afuera de un plátano? 16. ¿Cuál es más difícil de pelar, una manzana o un plátano? 17. ¿Está usted de acuerdo con el campesino cuando él dice que habría sido malo plantar el árbol cerca del camino? 18. ¿Habría crecido el árbol si él lo hubiera plantado en un buen lugar?

1. Si mañana es día de fiesta, ¿adónde irá usted? 2. Si mañana fuera día de fiesta, ¿adónde iría usted? 3. Si ayer hubiera sido día de fiesta, ¿adónde habría ido usted? 4. Si usted tiene dos semanas de vacaciones el verano que viene, ¿dónde las pasará? 5. Si usted estuviera de vacaciones ahora, ¿qué haría y adónde

iría? 6. Si usted hubiera tenido dos semanas de vacaciones el mes pasado, ¿qué habría hecho y adónde habría ido? 7. Si Juan estudia más, ¿aprobará él todos sus exámenes la semana que viene? 8. Si Juan estudiara más, ¿aprobaría todos sus exámenes? 9. Si Juan hubiera estudiado más el mes pasado, ¿habría aprobado él todos sus exámenes? 10. Si usted está en la Florida el invierno que viene, ¿cómo pasará el tiempo? 11. Si usted estuviera en la Florida ahora, ¿cómo pasaría su tiempo? 12. Si usted hubiera estado en la Florida el invierno pasado, ¿cómo habría pasado su tiempo? 13. ¿Quisiera usted estar en la Florida ahora? 14. ¿Quisiera usted pasar todos los inviernos en la Florida? 15. ¿Quisiera usted haber podido pasar el invierno pasado en la Florida? 16. Si usted puede hacer los gastos de un viaje a Europa el año que viene, ¿qué países visitará? 17. Si usted pudiera hacer los gastos de un viaje a Europa ahora, ¿qué países visitaría? 18. Si usted pudiera haber hecho los gastos de un viaje a Europa el año pasado, ¿qué países habría visitado? 19. ¿Qué países de Suramérica quisiera usted visitar? 20. ¿Le gustaría a usted poder pasar un año en México sin hacer nada más que estudiar español? 21. Si usted sabe leer español fácilmente después de este curso, ¿qué libros leerá en español? 22. Si usted supiera leer español bien, ¿qué libros leería en español? 23. Si usted hubiera sabido leer español bien, ¿qué libros habría leído en español durante sus vacaciones? 24. ¿Le gustaría a usted poder leer español bien? ¿Qué libros quisiera usted leer en español?

VOCABULARIO: campesino, cultivar, plantar, fértil, semejante, gozar, acción, tonto, privar, destruir, interés, ocupado, agricultor, crecimiento, retoño, común, cortar, melocotón, pelar, gastos.

Use las siguientes frases en oraciones:

tener fama	por lo tanto
estar contento	en *semejante lugar*
cerca de	por lo menos
lejos de	de parte de
estar contento	fin de semana
de niño	como de costumbre
lo más espeso	

LECCION 46

El toro y los muchachos

Había una vez dos muchachos que estaban pasando una temporada en el campo. Un día, mientras daban un paseo apareció un toro, el cual empezó a perseguirlos. Por supuesto, los muchachos estaban muy asustados y empezaron a correr mientras el toro los seguía persiguiendo. Finalmente, uno de los muchachos subió a un árbol y el otro se escondió en un hueco muy grande. A los pocos segundos, el muchacho que se había escondido en el hueco salió muy apurado. Inmediatamente el toro empezó a perseguirlo y el muchacho volvió al hueco nuevamente. Esto lo repitieron por lo menos cinco veces. El muchacho que estaba en el árbol, ya cansado y muy enfadado, le gritó a su amigo: "Idiota, ¿por qué no te quedas en ese hueco por un rato? Si no lo haces, el toro nos tendrá aquí todo el día". Saltando dentro del hueco otra vez el muchacho respondió: "Está bien que digas eso; pero no sabes que en este hueco hay un oso".

76

1. ¿Dónde estaban pasando una temporada los dos muchachos de esta anécdota? 2. ¿Qué estaban haciendo un día? 3. ¿Qué apareció de pronto? 4. ¿Qué hizo el toro? 5. ¿Estaban los muchachos asustados, o no les importaba? 6. ¿Qué hicieron los muchachos? 7. ¿Por fin dónde subió uno de ellos? 8. ¿Qué hizo el otro muchacho? 9. ¿Qué hizo el muchacho a los pocos segundos de entrar en el hueco? 10. ¿Qué hizo el toro al ver salir al muchacho del hueco? 11. ¿Cuántas veces repitieron esto el toro y el muchacho? 12. ¿Qué le dijo el otro muchacho al que estaba en el hueco? 13. ¿Cómo le respondió el muchacho al entrar en el hueco? 14. ¿Cree usted que el muchacho tenía razón para salir del hueco, o lo hacía sólo para jugar?

B. EJERCICIO ORAL

Este es el hombre *que* trabaja con mi padre. Hablé con el médico *que* usted me recomendó.

Visitamos ayer el colegio *en que* estudia Elena.

Hablé ayer con el señor López, *quien* es el dueño de la casa. El señor López y su esposa, *quienes* son amigos de mi padre, salieron ayer para Caracas. San Martín, *quien* era natural de la Argentina, vivió mucho tiempo en Madrid. Las muchachas a *quienes* invité no pueden venir. Ella es la persona de *quien* hablamos anoche.

El es el mucho *cuyo* hermano estudia con nosotros. Este es el profesor *cuyas* hijas estudian en Francia. Eduardo, *cuyos* hermanos viven en México, va a pasar sus vacaciones allí.

Vi la película en el teatro Belmont, *la cual* me gustó mucho. El toro es un animal *al cual* muchas personas tienen miedo. Estas son las ventanas por *las cuales* entraron los ladrones.

1. ¿Cómo se llama el cine en el cual vio usted esa película? 2. ¿Dónde está la escuela en la cual estudia su hermana? 3. ¿Quién era el muchacho cuyo sombrero se llevó el viento? 4. ¿Quién es el muchacho de su clase de español cuyos padres son del Perú? 5. ¿Con quién fue usted a la fiesta anoche? 6. ¿Quién era la muchacha con quien usted estaba hablando en el pasillo? 7. ¿Quién es el profesor con el cual ustedes estudian matemáticas? 8. ¿Cómo se llama la escuela de la cual

él es director? 9. ¿Dónde está la mesa encima de la cual usted dejó sus libros? 10. ¿Resultó bueno o malo el automóvil por el cual pagó usted tanto dinero?

C. REPASO

1. En la anécdota de esta lección, ¿daban los dos muchachos un paseo por el campo, o por la ciudad? 2. ¿Le gusta o no le gusta a usted dar un paseo por el campo? 3. ¿Prefiere usted dar un paseo solo o en compañía de un amigo? 4. ¿Por qué echaron a correr los dos muchachos de la anécdota cuando el toro empezó a perseguirlos? 5. ¿Es el toro un animal fuerte o débil? 6. ¿Ha sido usted perseguido alguna vez por un toro? 7. ¿Ha visto usted alguna vez una corrida de toros? 8. ¿En qué países son populares las corridas de toros? 9. En las corridas de toros, ¿cómo se llama el hombre que primero pica al toro con lanzas para ponerlo furioso? 10. ¿Cómo se llama el hombre que por fin mata al toro? 11. ¿Qué otro animal, además del toro, se menciona en la anécdota de esta lección? 12. ¿Es el oso un animal fuerte o débil? 13. ¿Qué animal es más fuerte, el toro o el oso? 14. ¿Es el oso en su condición natural un animal salvaje o un animal doméstico? 15. ¿Cuál es la diferencia entre un animal salvaje y un animal doméstico? 16. ¿Es fácil o difícil domesticar osos? 17. Nombre en español cinco animales domésticos. Nombre cinco animales salvajes.

(REPASO-verbo *tener*): 1. ¿Cuántas clases de español tienen ustedes cada semana? 2. ¿Dónde tiene lugar la anécdota de esta lección? 3. ¿Tuvo que hacer usted mucha o poca tarea anoche? 4. ¿Han tenido ustedes que aprender muchas o pocas palabras nuevas en español últimamente? 5. ¿Cuántos años tiene su amigo Juan? 6. ¿Cuántos años tenía Juan cuando empezó a estudiar en esta escuela? 7. ¿Tiene el profesor razón o no cuando dice que ustedes ponen muy poca atención en la clase? 8. ¿Tenía el profesor razón cuando dijo que la gramática española es muy fácil? 9. ¿Por qué tuvo Eduardo tanta prisa en salir de la clase hoy al sonar el timbre? 10. ¿Con quién tuvo una cita? 11. ¿Tiene usted mucho o poco miedo de la oscuridad? 12. ¿A qué hora del día tiene usted más hambre? 13. Cuando usted tiene sed, ¿qué refresco toma? 14. ¿Tiene

78

usted muchos o pocos deseos (ganas) de terminar este curso?
15. ¿Por qué dice Juan que no tiene deseos (ganas) de ir al
cine esta noche? 16. ¿Por qué dice usted que no tiene deseos
(ganas) de dar un paseo por el parque? 17. ¿A qué hora tiene
que levantarse usted todas las mañanas? 18. ¿A qué hora tuvo
que levantarse ayer por la mañana? 19. ¿A qué hora tendrá
que levantarse mañana por la mañana? 20. Si usted tuviera
el día libre hoy, ¿adónde iría y qué haría? 21. Si usted hubiera
tenido el día libre ayer, ¿adónde habría ido y qué habría hecho?
22. Generalmente, ¿tiene usted buena o mala suerte en los
exámenes?

VOCABULARIO: temporada, perseguir, asustar, correr, mientras, esconderse, hueco, apurar, gritar, idiota, saltar, responder, recomendar, colegio, resultar, dueño, prisa, cita, oscuridad, gana, deseo, picar, lanza.

Use las siguientes frases en oraciones:

por supuesto	tener razón
a los pocos segundos	otra vez
de nuevo	tener hambre
por lo menos	(sed, miedo)
por un rato	tener prisa
todo el día	tener deseos (ganas)
tener lugar	tener que. . .

LECCION 47

La agilidad de Simón Bolívar

Cuenta Simón Bolívar, el Libertador de Suramérica (1783-1930), que estando en el sitio de Angostura* le dio la orden a su ayudante de campo —el general Ibarra— de usar su caballo para recorrer la primera línea y llevar algunas órdenes. El ayudante de campo era un joven muy ágil, alegre y valiente. Lleno de entusiasmo, Ibarra apostó con los otros jefes del Ejército Libertador, que él era capaz de dar un salto desde la cola del caballo y caer más allá de la cabeza. Aceptada la apuesta, el joven ayudante tomó impulso y de un gran brinco saltó el caballo del Libertador, que por cierto era muy grande.

Bolívar llegó en el momento en que los oficiales celebraban el gran salto de Ibarra. El Libertador, que creía que para ser el caudillo de aquellas gentes tenía que mostrarse superior en todo a sus subordinados, si le era posible, les dijo a sus oficiales:

—Eso que ha hecho Ibarra no es nada extraordinario. Voy a probárselo a ustedes.

Bolívar tomó impulsó, salió corriendo a toda velocidad, dio un brinco y cayó sentado sobre el cuello del caballo. Demás está decir que recibió un gran golpe en cierta parte del cuerpo, pero nadie pudo notarle al jefe el menor gesto de dolor. Picado en su amor propio bajó Bolívar del caballo, se fue otra vez hacia la cola y volvió a tomar impulso, dando otro gran brinco. Esta vez cayó sentado con gran fuerza sobre las orejas del animal. El golpe que se llevó el Libertador fue aun peor que el primero, pero tampoco manifestó su dolor. No se desalentó Bolívar, y a la tercera vez saltó el caballo.

En sus memorias, refiriéndose al hecho de esta anécdota, dice el caudillo suramericano:

Confieso que hice una locura, pero entonces no quería que nadie pudiera vanagloriarse de ganarme en agilidad, y que hubiera uno que pudiera decir que hacía lo que yo no podía hacer . . . "

---

* Angostura es una población de Venezuela.

80

1. ¿Quién fue Simón Bolívar? 2. ¿Dónde nació? 3. ¿Cómo le llaman los suramericanos a Bolívar? ¿Por qué? 4. ¿Cuántos años tenía Bolívar en 1817 cuando sucedió lo que se cuenta en esta anécdota? 5. ¿Dónde estaba entonces el ejército de Bolívar? 7. ¿Qué carácter tenía el general Ibarra? 8. ¿Para qué le dio Bolívar el caballo a Ibarra? 9. ¿Qué apostó Ibarra? 10. ¿Era grande o pequeño el caballo del Libertador? 11. ¿Ganó la apuesta el ayudante de campo? 12. ¿Qué dijo Bolívar cuando los oficiales celebraban el brinco de Ibarra? 13. ¿Qué creía el Libertador que era necesario para ser el caudillo de aquellas gentes? 14. ¿Qué dijo Bolívar cuando los oficiales celebraban el brinco de Ibarra? 15. ¿Qué pasó en el primer brinco de Bolívar? 16. ¿Pudo alguien notarle algún gesto de dolor al Libertador? 17. ¿Qué sucedió en el segundo salto? 18. ¿Se desalentó Bolívar? 19. ¿Manifestó dolor Bolívar después de su segundo salto? 20. ¿Y qué ocurrió en el tercer brinco de Bolívar? 21. ¿Tenía amor propio Bolívar? 22. ¿Dice Bolívar que estuvo bien hecho lo que hizo o confiesa que esto fue una locura? 23. ¿Qué es lo que no quería Bolívar entonces?

B. EJERCICIO ORAL

Ten cuidado con lo que haces. *Ven* conmigo al cine. *Espera* aquí un momento. *Trae* todos tus libros a la clase. *Ve* a hablar con el director. *Di* la verdad. *Pon* tus libros sobre la mesa. *Vuelve* pronto. *Come* con nosotros. *Lleva* esto contigo. *Abre* la ventana un poquito.

No *pongas* eso allí. No *tengas* miedo. No lo *dejes* entrar. No *digas* nada de esto. No *vuelvas* antes de las ocho. No *vayas* solo a ninguna parte. No *vengas* tarde. No *abras* la ventana. Haz bien y no *mires* a quien.

Siéntate aquí. *Tráeme* ese libro. *Dímelo* ahora mismo. No se lo *digas* a nadie. No me *digas*. No lo *pongas* allí. *Ponte* el abrigo. *Quítate* el sombrero. *Dame* esa pluma. *Dámela*. No te *preocupes*. *Ábreme* la puerta. *Ábremela*. *Hazlo* con cuidado. *Házmelo*.

Esperemos aquí hasta que venga. *Comamos* en casa hoy. *Tomémoslo* con calma. *Demos* un paseo por el parque. *Sentémo-*

nos aquí. *Hablemos* un rato en español. *Vamos* a dar un paseo.
Vamos a hablar un rato en español. *Vamos a comer* en casa
hoy. *Vamos a tomarlo* con calma.

C. REPASO

1. ¿Nació usted en una ciudad grande o pequeña? 2. ¿Cuándo
es su cumpleaños? 3. ¿Le dan sus amigos a usted algunos regalos en su cumpleaños? 4. ¿Se crió usted en la misma ciudad
donde nació o en otra parte? 5. Según la anécdota de esta lección, ¿quién nació en Caracas? 6. ¿Era joven o viejo Simón
Bolívar cuando estaba en el sitio de Angostura? 7. ¿Es Angostura una ciudad de Colombia o de Venezuela? 8. ¿Quería
Bolívar vanagloriarse de su agilidad? 9. ¿Cree usted que un
caudillo debe ser superior en todo a sus hombres? 10. ¿Quería
Bolívar que uno de sus hombres pudiera decir que hacía lo que
él no podía hacer? 11. ¿Cuál de los golpes que llevó Bolívar fue
peor, el primero o el segundo? 12. ¿Se desalienta mucha gente
cuando recibe golpes? 13. ¿No cree usted que el caballo también
recibió golpes?

(REPASO DE LA FORMA PASIVA): 1. ¿Quién entrega la
correspondencia en su casa todos los días? 2. ¿Por quién es
entregada la correspondencia en su casa todos los días? 3. ¿A
qué hora entregaron la correspondencia en su casa ayer? 4. ¿A
qué hora fue entregada la correspondencia en su casa ayer?
5. ¿Fue publicado este libro en los Estados Unidos o en Suramérica? 6. ¿Quién descubrió América? ¿Por quién fue
descubierta América? 8. ¿En qué año fue descubierta América? 9. ¿Por quién fue enseñada su clase de español ayer?
10. ¿Por quién será enseñada su clase de español mañana?
11. ¿Por quién ha sido enseñada su clase de español todos los
días esta semana? 12. ¿Han sido entregados ya esos libro que
ordenamos la semana pasada? 13. ¿Se usa con mucha o poca
frecuencia la forma reflexiva en español como sustituto de
la voz pasiva? 14. ¿Qué idioma hablan en México? ¿Qué idioma
se habla en Brasil? 15. ¿Qué idiomas se hablan en estos países:
Francia, Portugal, Japón, Rusia, Alemania? 16. ¿Cómo se
llama usted? ¿Cómo se llama su profesor de español? 17. ¿En

qué tiendas se venden libros? 18. ¿Se venden las frutas en una frutería o en una carnicería? 19. ¿Qué se vende en una tienda de comestibles? 20. ¿A cómo se vende la libra de mantequilla ahora? 21. ¿A cómo se vende la libra de azúcar? 22. ¿A qué hora se abren las tiendas todos los días? 23. ¿A qué hora se cierran? 24. ¿Se pueden comprar sombreros para hombres en cualquier tienda o en ciertas tiendas solamente? 25. ¿Dónde se pueden comprar corbatas para hombres? 26. ¿Tiene usted teléfono? ¿A qué hora del día se puede hablar con usted por teléfono? 27. ¿Se puede enseñar a los pájaros a nadar? 28. ¿Se puede enseñar a los peces a volar? 29. ¿Se puede aprender español bien en seis meses? 30. ¿Se pueden contestar todas estas preguntas fácilmente?

VOCABULARIO: sitio, ayudante de campo, línea (de combate), ágil, demás, entusiasmo, valiente, aportar, jefe, ejército, capaz, salto, brinco, cola, aceptar, impulso, brincar, oficial, caudillo, subordinados, velocidad, cuello, aclarar, notar, picar, desalentar, vanagloriarse.

Use las siguientes frases en oraciones:

dio la orden	picado en su amor
por cierto	propio
salió corriendo	era capaz de
recorrer la línea	dar un brinco (salto)
demás está decir	hacer una locura

LECCION 48

Una anécdota

Una vez viajaba por España un inglés. Hablaba español bastante bien, pero su vocabulario no era muy extenso. Una vez, por ejemplo, entró en un pequeño hotel en el campo y quería pedir huevos. Pero no podía recordar la palabra *huevos*.

—¿Cómo se llama esa ave? —le preguntó al camarero al ver a través de la ventana un gallo que andaba por el patio.

—Esa ave es un gallo, —le respondió el camarero.

—¿Cómo se llama, en español, la hembra del gallo —le preguntó entonces el inglés.

—La hembra del gallo se llama la gallina —el camarero contestó.

—Y, ¿cómo se llaman los hijos de la gallina? —el inglés preguntó en seguida.

—Se llaman pollitos —el camarero contestó.

—¿Cómo se llaman los pollitos antes de nacer? —el inglés volvió a preguntar.

—Se llaman huevos —el camarero le dijo.

—Muy bien —dijo el inglés. —Por favor, tráigame dos huevos, café y tostadas.

El camarero, sonriendo, se decía (para sí mismo): Si yo estuviera en Inglaterra y tuviera que hacer tantas preguntas para comer un par de huevos, preferiría pasar hambre. . .

1. ¿Por dónde viajaba una vez un inglés? 2. ¿Hablaba él bien el español? 3. ¿Era su vocabulario extenso o limitado? 4. ¿Dónde estaba comiendo él una vez? 5. ¿Qué quería pedir él? 6. ¿Qué palabra no podía recordar? 7. ¿Qué vio él, de pronto, a través de la ventana? 8. ¿Cuál era el nombre del ave que caminaba por el patio? 9. ¿Qué preguntas hizo el inglés al camarero a fin de saber la palabra que no podía recordar? 10. Finalmente, ¿qué le dijo al camarero que le trajera con los huevos?

B. EJERCICIO ORAL

El inglés le pregunta al camarero cuál es el nombre de esa ave. El inglés le preguntó al camarero cuál *era* el nombre de esa ave. El inglés pregunta: "¿Cómo se llama, en español, la hembra del gallo?" El inglés preguntó cómo *se llamaba,* en español, la hembra del gallo. Yo le pregunto a Juan: "¿A dónde va usted?" Yo le pregunté a Juan a dónde *iba* él. Yo le pregunto a él: "¿Va usted a casa?" Yo le pregunté a él si *iba* a casa. Ella me preguntó: "¿Cuál es su nombre?" Ella me preguntó cuál *era* mi nombre. Ella me pregunta: "¿Volverá usted pronto?" Ella me preguntó si *volvería* pronto. Ella me pregunta: "¿Ha ido usted al cine?" Ella me preguntó si *había ido* al cine. El quiere saber dónde vive usted. El quiso saber dónde *vivía* usted. El sabe que hay muchas cosas que hacer aquí. El sabía que *había* muchas cosas que hacer aquí.

1. En la anécdota anterior, ¿qué le preguntó el inglés al camarero cuando vio al gallo andando por el patio? 2. ¿Cómo dijo el camarero que se llamaba en español esa ave? 3. ¿Qué preguntó el inglés acerca de la hembra del gallo? 4. ¿Cómo dijo el camarero que se llamaba en español la hembra del gallo? 5. ¿Qué preguntó el inglés acerca de la cría de la gallina? 6. ¿Cómo dijo el camarero que se llamaba la cría de la gallina? 7. ¿Cómo se llaman los pollitos antes de nacer? 8. ¿Cómo dijo el camarero que se llamaban los pollitos de la gallina antes de

nacer? 9. Cuando usted empezó a estudiar español en esta clase, ¿le preguntó su profesor cómo se llamaba usted? 10. ¿Le preguntó su profesor dónde vivía usted? 11. ¿Le preguntó él dónde había estudiado español antes? 12. ¿Le preguntó a usted si iba a visitar Suramérica algún día? 13. ¿Qué otras preguntas le hizo a usted su profesor? 14. ¿Qué se decía el camarero a sí mismo?

C. REPASO

1. ¿Por qué países extranjeros ha viajado usted? 2. ¿Tiene usted ahora un vocabulario extenso o limitado en español? 3. ¿Le es ahora fácil o difícil hacerse entender en español? 4. Si usted estuviera viajando ahora por un país de habla española, ¿podría usted entrar en un restaurante y pedir una comida sin dificultad alguna? 5. ¿Ha comido usted alguna vez en un pequeño hotel de campo? 6. ¿Cómo llamamos a la persona que nos sirve en un restaurante? 7. Si es mujer, ¿cómo la llamamos? 8. ¿Le gustan a usted los huevos? 9. ¿Cómo le gustan los huevos, fritos, duros, o pasados? 10. En su desayuno, ¿prefiere usted tostadas o simplemente pan? 11. ¿Cuántos alumnos hay en su clase de español? ¿Cuántos muchachos hay? ¿Cuántas muchachas hay? 12. ¿Había muchos o pocos alumnos ausentes ayer? 13. ¿Habrá muchos o pocos alumnos ausentes mañana? 14. ¿Ha habido muchos o pocos alumnos ausentes últimamente? 15. ¿Por qué dice usted que hay que estudiar con cuidado las conjugaciones en español? 16. ¿Habría ido usted al cine anoche si no hubiera tenido que estudiar? 17. ¿Por qué le dijo a Pedro que él *debía haber estudiado* más antes de su examen? 18. ¿Por qué dice Eduardo que *debía haber estudiado* francés en vez de español? 19. ¿Por qué cree usted que *debe haber dejado* sus libros en el autobús? 20. ¿Por qué cree usted que el señor Gómez *debe haber nacido* en México?

1. ¿De qué material se hacen generalmente nuestros vestidos? 2. ¿De qué material se hacen los lápices? 3. ¿Son los lápices siempre de madera o se hacen también de otros materiales? 4. ¿De qué otros materiales se hacen los lápices? 5. ¿De qué material se puede hacer una lámpara? ¿Un lapicero? ¿Una

pluma? 6. De todos los materiales que usamos para fabricar cosas, ¿cuál es probablemente el más útil? 7. ¿Cuáles son las cosas más importantes que fabricamos de madera? 8. ¿Cuáles son las cosas más importantes que fabricamos de metal? ¿De vidrio? ¿De cuero? 9. ¿De qué material se hacen las ventanas y los espejos? 10. ¿De qué material se hacen las sillas? ¿Las mesas? ¿Las pizarras? 11. ¿Cuál es más fuerte, el hierro o la madera? 12. ¿Cuál durará más tiempo, una casa hecha de madera o una hecha de ladrillos? 13. ¿De qué color son los ladrillos? 14. ¿Cómo se fabrican los ladrillos? 15. ¿Cuál se romperá más fácilmente, una cosa hecha de vidrio o una hecha de metal? 16. ¿Qué tela da más calor, la de lana o la de algodón? 17. ¿Qué tela dura más, la de algodón o la de lana? 18. ¿Qué cuesta más, un vestido hecho de algodón o uno hecho de lana? 19. ¿Cómo se obtiene el algodón? 20. ¿De qué animal se obtiene la lana? 21. ¿De qué animales se obtiene el cuero con el cual fabricamos los zapatos?

VOCABULARIO: extenso, ave, hembra, patio, cría, pollito, tostada, limitado, freír (frito), duro, pan, simple, vestido, fabricar, madera, metal, vidrio, cuero, hierro, durar, ladrillo, romper, tela, algodón, lana, obtener.

Use las siguientes frases en oraciones

una vez	por favor
a través de	de pronto
andar por	hacer preguntas
en seguida	dar calor
volver a preguntar	

LECCION 49

La leyenda del colibrí

También América tiene sus leyendas de amor. Esta es una leyenda de un amor imposible digna de ser cantada por Shakespeare.

Una bella india llamada *Flor*, y un apuesto indio llamado *Agil*, se amaban tiernamente. Pero pertenecían a tribus rivales. Por eso sólo se veían brevemente, a escondidas, en un bosque cercano, a la luz de la luna. Una noche fueron descubiertos por otra india envidiosa, de la misma tribu de Flor. Desde entonces los dos jóvenes amantes no pudieron verse más.

La Luna, que conocía la pena del indio enamorado, le dijo:

—Ayer vi a Flor. Lloraba amargamente. Su padre quería casarla con un indio de su tribu. Ella, desesperada, pidió a los dioses que le quitaran la vida. El dios Tupá, compadecido de ella, la transformó en flor. Todo esto me lo dijo el Viento.

—Dime, Luna, ¿en qué clase de flor se convirtió mi amada?

—¡Ay, mi amigo! Eso no me lo dijo el Viento.

Agil, desesperado, se dirigió al Viento:

—Dime, Viento, ¿en qué clase de flor se convirtió mi amada?

Pero el viento gemía y no le dijo nada.

—¡Tupá! ¡Tupá! ¿Cuál de las flores es ahora mi amada? ¡Ayúdame a encontrarla! —el indio suplicaba.

Nadie le contestó. Silbaba el viento, cubriendo a la luna con un velo de plata. La luna, muy pálida, vio con asombro cómo el cuerpo del indio se empequeñecía, se empequeñecía, hasta convertirse en un pequeño pajarillo multicolor. Y salió volando. Era el colibrí.

Los indios, aun hoy en día, cuando ven al colibrí besando las flores y cantando sus penas con cuerdas de plata, se dicen unos a otros:

—¡Ahí va Agil, con su canto de plata, en busca de su Flor, y no puede encontrarla!

1. ¿Sabe usted qué amor imposible cantó Shakespeare? 2. ¿Cómo era la india Flor? 3. ¿Era apuesto o feo el indio Agil? 4. ¿Pertenecían a una misma tribu estos dos indios? 5. ¿Dónde

se veían estos dos jóvenes? 6. ¿Se veían de noche o de día? 7. ¿Quién descubrió a los dos amantes? 8. ¿Qué les pasó desde entonces a Flor y a Agil? 9. ¿Quién conocía la pena del indio enamorado? 10. ¿Qué le dijo la Luna a Agil? 11. ¿Qué pidió Flor a los dioses? 12. ¿Quién se compadeció de la india? 13. ¿Quién le dijo todo esto a la Luna? 14. ¿Qué quería saber el indio Agil? 15. ¿Pudo contestar la Luna a esta pregunta de Agil? ¿Por qué? 16. ¿Qué vio la Luna con asombro una noche? 17. ¿Qué se dicen los indios unos a otros cuando ven un colibrí?

B. EJERCICIO ORAL

El insistió *en ir.* Empezaron a *estudiar* en abril. No me acordaré *de mandarlo.* Me olvidé *de decírselo.* Me alegro *de poder* hacerlo. Tardaron dos horas *en llegar.* Tratamos *de ponernos* en contacto con él. Aprendió *a nadar* en muy poco tiempo.

El no está interesado *en estudiar* gramática. Además *de tocar* el piano, ella canta divinamente. Estamos ya listos *para salir.* Ellos estaban *para salir* cuando llegamos. Algunas palabras son fáciles de *recordar.* Lo llamaré *antes de irme.* Siempre está dispuesto *a ayudar* a sus amigos.

Al entrar en la clase lo saludé muy cordialmente. *Al terminar* este curso voy a estudiar francés. Juan *acaba de llegar. Acaban de decirme* todo. *Volvió a hacer* lo mismo. *Volvieron a cometer* el mismo error.

Lo vi *entrar.* Oímos *cantar* a Elena. Oí a alguien *tocar* a la puerta. Vi al ladrón *salir* por la ventana.

1. ¿Cuándo empezó usted a estudiar español? 2. ¿Por qué insiste el profesor en que cada alumno escriba una composición todas las mañanas? 3. Si va usted a la escuela a pie, ¿cuánto tiempo tarda en llegar? 4. ¿Quién acaba de llegar a la clase? 5. ¿Qué lección acabamos de estudiar en este libro? 6. ¿Qué leyenda acabamos de leer? 7. ¿Está usted un poco cansado de estudiar español? 8. ¿Son estas preguntas fáciles o difíciles de contestar? 9. ¿Son las anécdotas de estas lecciones fáciles o difíciles de entender? 10. ¿Ha oído usted a Elena tocar el piano?

11. ¿Quién vio entrar al ladrón? 12. ¿Se alegra usted de haber progresado tanto y haber aprendido tantas palabras en español? 13. ¿Saluda usted al profesor al entrar o al salir de la clase? 14. ¿Por qué está Juan desesperado por terminar este curso? 15. ¿Por qué está Eduardo siempre listo para salir de la clase cuando suena el timbre? 16. Al terminar este curso, ¿va usted a seguir estudiando español o va a dejar de estudiarlo?

(REPASO el subjuntivo): 1. ¿Por qué insiste el profesor en que ustedes hablen solamente en español durante la lección? 2. ¿Por qué los padres de Juan no quieren que él estudie para médico? 3. ¿Por qué insiste usted en que yo vea esa película? 4. ¿Por qué es preciso que los alumnos pongan mucha atención a las reglas sobre el uso del subjuntivo? 5. ¿Por qué duda usted que vaya a aprender a hablar español bien? 6. ¿Por qué le extraña a usted que Juan no esté en la clase hoy? 7. ¿Por qué dice usted que es lástima que el tiempo no sea bueno hoy? 8. ¿Seguirá usted estudiando español hasta que lo sepa bien o dejará de estudiar después de este curso? 9. ¿Irá Juan a la fiesta con tal que lo inviten? 10. ¿Por qué le dijo el maestro a Eduardo que lo esperara después de la lección? 11. ¿Por qué fue necesario que usted llegara temprano a la clase esta mañana? 12. ¿Por qué le pidió Elena a usted que la ayudara con su composición? 13. ¿Por qué dijo el profesor que quisiera que ustedes hicieran menos ruido durante la lección? 14. ¿Qué quisiera usted que yo le comprara como regalo para su cumpleaños? 15. ¿Hablaría usted español mejor si tuviera más práctica en conversación todos los días? 16. Si usted preparara mejor sus tareas, ¿sacaría mejores notas? 17. Si hubiera menos alumnos en su clase, ¿tendría usted más o menos oportunidad de hablar? 18. Si hoy fuera un día de fiesta, ¿a dónde iría usted y qué haría? 19. Si usted hubiera estudiado español hace muchos años, ¿habría tenido que tomar este curso? 20. Si ayer hubiera sido domingo, ¿habría ido usted a la escuela como de costumbre o habría pasado su tiempo de otra manera? 21. ¿Qué ejercicios quiere el profesor que preparemos esta noche? 22. ¿Dónde quiere usted que nos encontremos después de la clase? 23. ¿Por qué insistió el médico en que Juan fuera en seguida al hospital? 24. ¿Quién le sugirió a usted que estudiara español?

VOCABULARIO: leyenda, digna, india, apuesto, tiernamente, tribus, rivales, a escondidas, luz, luna, envidiosa, amantes, pena, enamorado, amargamente, convertirse, transformarse, gemir, amada, silbar, velo, plata, asombro, empequeñecerse, pajarillo, multicolor, cuerdas, canto, en busca.

Use las siguientes frases en oraciones:

se veían a escondidas   convertirse en
no pudieron verse   desde entonces
la transformó en   quitarle la vida
a la luz de la luna   cubrirse con el velo
llorar amargamente

LECCION 50

El árabe y el camello

Caminaba un árabe por el desierto cuando se encontró con dos comerciantes.

—¿Han perdido ustedes uno de sus camellos?, les preguntó.

—Sí, contestaron los comerciantes.

—¿Era el camello tuerto del ojo derecho y cojo de la pata izquierda?, preguntó el árabe.

—Sí, era.

—¿Había perdido su camello un diente?, preguntó el árabe.

—Sí.

—¿Llevaba una carga de miel y maíz?

—Sí, dijeron los comerciantes. —Háganos el favor de decirnos dónde está.

—Yo no sé dónde está, dijo el árabe. —Yo nunca he visto tal camello ni he hablado con nadie acerca de él.

Los comerciantes se miraron con sorpresa. Ellos creyeron que el hombre los estaba engañando. Finalmente se acercaron a él y le dijeron: —¿Dónde está el camello y qué ha hecho con las joyas escondidas en la carga?

—Yo no he visto el camello, ni la carga, ni las joyas, insistió el árabe.

Los comerciantes finalmente hicieron que el árabe los acompañara a un pueblo cercano y allí lo llevaron ante la policía. Los comerciantes dijeron que el árabe era un mago o un ladrón.

—Yo no soy ni ladrón ni mago —dijo el árabe— ni hombre instruido; pero por otra parte he aprendido a poner mucha atención a todas las cosas que veo. Esta mañana vi las huellas de un camello que se había perdido. Sabía que estaba perdido porque no había huellas de ninguna persona cerca de las del camello. Supe que el camello era tuerto del ojo derecho porque la hierba de ese lado no había sido tocada. El animal era cojo de la pata izquierda porque sólo se veía una débil huella de esa pata. También supe que le faltaba un diente porque dondequiera que el camello había comido hierba siempre había dejado una parte sin comer. Encontré cerca de las huellas grupos de hormigas que arrastraban granos de maíz. También encontré grupos de moscas sobre unas gotas de miel a lo largo del camino. De esta manera supe la clase de carga que el camello llevaba.

1. ¿Por dónde caminaba un árabe? 2. ¿Con quién se encontró? 3. ¿Qué habían perdido los comerciantes? 4. ¿Estaba el camello completamente ciego o solamente tuerto? 5. ¿Cuántos dientes le faltaban? 6. ¿Qué carga llevaba? 7. ¿A dónde llevaron los comerciantes al árabe? 8. ¿Admitió el árabe el robo del camello? 9. ¿Qué había visto el árabe esa mañana? 10. ¿Cómo supo el árabe que el camello estaba perdido? 11. ¿Cómo supo que el camello era tuerto? 12. ¿Cómo supo que era cojo? 13. ¿Cómo supo que le faltaba un diente? 14. ¿Cómo averiguó la clase de carga que llevaba el camello?

B. EJERCICIO ORAL

La pluma no es mía *sino de ella*. No vamos al teatro *sino* al cine. El no es alemán *sino francés*.

Ellos hablan francés e italiano. Son padre e hijo. Pablo e Isabel van a acompañarnos.

Había siete *u* ocho alumnos ausentes. No importa que sea mujer *u* hombre. No saben si era león *u* oso lo que vieron en el bosque.

Yo siempre llevo una *libreta* de notas en mi bolsillo. Ha ido al parque con su *hermanito*. Esta *florecita* es muy bonita. Rompieron una de las *ventanillas* del automóvil. La cría de la gallina se llama *pollito*. El niño tiene una *mesita* muy bonita. Mi hermana es más *bajita* que yo.

Es un día *hermosísimo*. El vestido es de una tela *finísima*. El sombrero que lleva mi mujer es *feísimo* y, lo que es peor, *carísimo*. He oído decir que ellos tienen *muchísimo* dinero. María tiene los *ojos negrísimos*.

1. ¿Habla español e inglés bien el profesor de ustedes? 2. ¿Era mujer u hombre la persona que llamó por teléfono? 3. ¿Por qué se llaman comúnmente las ventanas de un tren *ventanillas?* 4. ¿Cuál es la diferencia entre *voz* y *vocecita? ¿Entre tos* y *tosecita?* 5. ¿Cuál es la diferencia entre *viejecito* y *viejecita?* 6. Si una cosa es *grandota,* ¿es muy grande o pequeña? 7. Si una mujer es una *mujerona,* ¿es muy grande o pequeña? 9. Si una persona es *riquísima,* ¿tiene mucho dinero o poco dinero? 10. Si una persona es *inteligentísima,* ¿tiene mucha o poca inteligencia? 11. ¿Por qué no va usted esta noche al cine, *sino* al teatro? 12. ¿Por qué no quiere usted ir de vacaciones al Canadá *sino* a México?

C. REPASO

1. ¿En la anécdota anterior, resultó el árabe ser un ladrón o un hombre honrado? 2. ¿Encontró el árabe las huellas del camello en el bosque o en el desierto? 3. ¿Dónde está situado el desierto más grande y más famoso del mundo? 4. ¿Es fácil o difícil seguir las huellas de un camello en el desierto? 5. ¿Por qué se usan camellos para llevar carga en el desierto? 6. ¿Puede un camello pasar mucho o poco tiempo sin tomar agua? 7. ¿Qué carga llevaba el camello de la anécdota de esta lección? 8. ¿Fue una buena o mala idea esconder joyas en la carga de semejante animal, tuerto, cojo y viejo? 9. Además de maíz, ¿qué otra cosa llevaba el camello? 10. ¿Para qué se usa el maíz? 11. ¿Có-

mo se obtiene la miel? 12. ¿Es la miel dulce o agria? 13. ¿Para qué se usa la miel? 14. ¿Les gusta a las moscas la miel? 15. ¿Parece el camello de la anécdota haber sido joven o viejo? 16. Si una persona es sorda, ¿puede o no puede oír? 17. Si una persona es coja, ¿puede o no puede caminar bien?

(REPASO-vocabulario): 1. ¿Qué es lo contrario de *vender?* 2. ¿Cuál de estas cosas se encuentra solamente en una tienda? (borrador, mostrador, rana, asignatura). 3. ¿Cuál de estas personas sirve en un restaurante? (intérprete, boticario, médico, camarero). 4. ¿Qué es lo contrario de *joven?* 5. ¿Cuál de estas cosas se hace de vidrio? (cigarrillo, piso, espejo, dulces). 6. ¿Cuáles de estas cosas se pueden comprar en la administración de correos? (anillos, sellos, flores, vestidos). ¿Cuál es la forma diminutiva de *poco, muchacho, hermano, niño?* 8. ¿Cuál es la forma adjetiva de *maravilla?* 9. ¿Cuál de estas palabras está mal escrita? (región, repetir, qualidad, eco). 10. ¿Cuál de estos animales se usa en el desierto para llevar cargas? (caballo, elefante, camello, oso). 11. ¿Cuál de estos animales es más fácil de domesticar? (elefante, león, lobo, oso). 12. ¿Cuál de estas palabras es sinónimo de *estúpido?* (exagerado, callado, modesto, tonto). 13. ¿Cuáles de estas cosas se hacen de ladrillos? (sillas, pizarras, casas, ventanillas). 14. ¿Cuál de estos animales tiene un cuello muy largo? (conejo, oso, jirafa, gato). 15. ¿Cuál es el participio pasado de *escribir, hacer, comprar, poner, esperar, morir?* 16. ¿Cómo se traduce en inglés "Lo siento mucho"? ¿Cómo se traduce "Me siento mal"? 17. ¿Cómo se dice en español "to shake hands"? 18. ¿Cuál de estas cosas se lleva en el dedo? (reloj, anillo, corbata, cartera). 19. Se encuentran nubes solamente en (la sala, el patio, la fiesta, el cielo). 20. ¿Cuál es la forma sustantiva del verbo *nevar?* ¿Del verbo *llover?* 21. ¿Qué es lo contrario de *en frente de?* 22. ¿Cuál de estas palabras es un sinónimo de *conseguir?* (suceder, regresar, obtener, permanecer). 23. *¿Crecimiento* es la forma sustantiva de qué verbo? 24. ¿Qué es lo contrario de *rico?* ¿De *necesario?* ¿De *bajar?* 25. ¿Cuál de estas cosas se usa en un lapicero? (tinta, mina, hojas, cuerda).

VOCABULARIO: árabe, desierto, camello, cojo, pata, diente, carga, miel, maíz, tal, sorpresa, joya, mago, instruir, huella, dondequiera, grupo, arrastrar, grano, mosca, gota, averiguar, sino, admitir, nube, significación, inteligencia, honrado, dedo.

Use las siguientes frases en oraciones:

encontrarse con	de esta manera
acercarse a	oír decir
por otra parte	*llevar* un sombrero
poner atención	(traje, vestido)
a lo largo del	ir de vacaciones

SPANISH - ENGLISH VOCABULARY

A

a, to, at, in from, after
abierto, open
abogado, lawyer
abrazar, to hug
abrigo, overcoat
abril, April
aburrirse, to bore, to become bored
acabar, to end
accidente, accident
acción, action
acera, sidewalk
acerca de, about
acercarse, to get near
aceptar, to accept
aconsejar, to advise
acordarse, to remind, to remember
ágil, nimble, fast
acostarse, to lie down
acostumbrarse, to become accustomed to
actividad, activity
actual, actual
acuerdo, agrement
adelantar, to advance
además, besides
adiós, goodby
adjetivo, adjective
administración de correos, post office
adueñarse, to take possession
adverbio, adverb
afortunadamente, fortunately
agosto, August
agradable, agreeable
agricultor, farmer
agrio, sour
agua, water
aguda, sharp, clever (minded)
ahora, now
alcanzar, to reach
aldeano, villager, peasant
alegrarse, to become happy

algo, something
algodón, cotton
alguien, someone
alguna, some, any
aliento, breath
alimento, food
aliviar, to relieve
anciana, old lady
allí, there
almorzar, to lunch
alto, high, tall
allá, there
alumno-a, pupil
amado-a, loved one
amar, to love
amante, lover
amargamente, bitterly
amarillo, yellow
ambos, both
a menudo, often
americano, American
amigo, friend
amoníaco, ammonia
amoroso, loving
ancho, wide
andar, to walk
anécdota, anecdote
anillo, ring
animal, animal
anteanoche, night before last
anteayer, day before yesterday
anterior, former
antes, before
antes de, before
anticipado, anticipated
antiguo, ancient
anuncio, announcement
añadir, to add
año, year
apagar, to put out, extinguish
aparecer, to appear
apetito, appetite
aplicado, studious, industrious
aplauso, applause
aportar, to contribute, to cost
apóstol, apostle

aprender, to learn
aprobar, to approve
aproximadamente, approximately
apuesto, handsome
apuntar, to point out; to jot down
aquel, that
aquí, here
árabe, Arab
árbol, tree
aritmética, arithmetic
arrastrar, to drag
arreglar, to fix, adjust
arriba, above, upstairs
artículo, article
así, thus, so
asiento, seat
asignatura, subject (of study)
asistir, to attend
asegurar, to secure, to affirm
asomarse, to begin to appear
asombro, astonishment
asunto, matter, affair
asustar, to frighten, scare
atención, attention
atento, polite, courteous
aterrizar, to land
atrasarse, to retard, delay
a través de, through
atreverse, to dare
auditorio, audience
aula, classroom
aunque, though
autobús, bus
automático, automatic
automóvil, automobile
autor, author
avaricia, avarice
ave, bird
aventura, adventure
averiguar, to find out
avión, airplane
ayer, yesterday
ayudante, assistant
ayudar, to help
azul, blue

B

bailar, to dance
baile, dance

bajar, to go down
bajo, low; short
bañarse, to take a bath
baño, bath
barato, cheap
bastante, enough
beber, to drink
bebido, drunk, tipsy
bello, handsome
biblioteca, library
bien, well
billete, ticket
blanco, white
boca, mouth
bolsillo, pocket
bonito, pretty
borracho, drunk
borrador, eraser
bosque, wood, forest
botella, bottle
botica, drugstore
boticario, druggist
bravo, brave, angry
brazo, arm
breve, brief
brinco, jump, spring
brincar, to jump
brindar, to offer; to toast
broma, joke
bueno, good
busca, búsqueda, search, pursue
buscar, to look for
buzón, mail box
burlarse, to mock
burlón, mocking; scoffer

C

caballo, horse
caber, to fit into
cabeza, head
cada, each
caer, to fall
caerse, to fall
café, coffee; cafe
cafetería, cafeteria
cálculo, calculation
caliente, hot

calma, calm
calor, heat
caluroso, warm
callado, silent, quiet
calle, street
cama, bed
camarero, valet, waiter
camello, camel
cambiar, to change
caminar, to walk
camisa, shirt
campesino, farmer
campo, field, country
canal, canal
canasta, basket, hamper
cansado, tired
cansarse, to get tired
cantar, to sing
caña de pescar, fishing-pole
capaz, capable
capital, capital
capítulo, chapter
cara, face
carácter, character, temper
cardinal, cardinal
carga, freight
carne, meat
carnicería, butcher shop
caro, expensive
carro, cart, car
carta, letter
cartera, portfolio, pocketbook
cartero, postman
casa, house
casi, almost
caso, case
casualidad, chance, hazard
  accident
castigar, to punish
catarro, cold
caudillo, leader
causa, cause
causar, to cause
cautivar, to capture
cenar, to dine
centavo, cent
cerca, nearby; fence
cercano, near, close

cerrar, to close
cesto, basket
ciego, blind
cielo, sky
científico, scientific
cierto, certain, sure
cigarrillo, cigarette
cinco, five
cincuenta, fifty
cine, movie
circo, circus
cita, appointment, engagement
ciudad, city
claro, clear
clase, class
clima, climate
cobrar, to collect, to charge
cocina, kitchen
coger, to catch, to grasp
cojo, lame, cripple
cola, tail
colegio, school, college
colgar, to hang
colocar, to arrange
color, color
comedor, dining room
comenzar, to begin
comer, to eat
comercial, commercial
comerciante, merchant
comestible, eatable, food
cometer, to commit
cómico, comic
comida, meal
como, how; as
cómodo, comfortable
compañía, company
comparación, comparison
comparativo, comparative
comparar, to compare
completamente, completely
compra, purchase, thing bought
comprar, to buy
comprender, to understand
común, common
comunicarse, to communicate
con, with
conceder, to concede

condecoración, decoration
condecorar, to decorate, to bestow
condición, condition
conectar, to connect
conejo, rabbit
confesar, to confess
confundir, to confuse
conjugación, conjugation
conjunción, conjunction
congreso, congress
conmigo, with me
conocer, to know, to be acquainted with
conseguir, to get
consejo, advice
conservar, to conserve
considerable, considerable
consiguiente, consequent
constar, to be clear, evident
consultar, to consult
contacto, contact
con tal que, provided that
contar, to count
contento, happy
contestar, to answer
contrario, contrary
contrato, contract
conversación, conversation
conversar, to talk
convertirse, to change, transform
cordial, cordial, hearty
correcto, correct, right
corregir, to correct
correo, mail
correr, to run
correspondencia, correspondence
corresponder, to correspond
corrida de toros, bullfight
cortar, to cut
corto, short
cosa, thing
coser, to sew
costar, to cost
costumbre, custom
cortina, curtain
crecer, to grow
crecimiento, growth

creer, to believe
cría, offspring
criada, maid
cruz, cross
cruzar, to cross
cuaderno, notebook
cuadro, picture
cual, which
cualidad, quality
cualidades, qualities
cualquiera, any, whatever
cuando, when
cuanto, how much
cuarto, fourth, quarter, room
cubano, Cuban
cubierto, covered; tableware
cubrir, to cover
cuchara, spoon
cuchillo, knife
cuello, neck, collar
cuento, tale, story
cuerda, cord, rope
cuero, leather
cuidado, care
cuidadoso, careful
cultivar, to cultivate
cultura, culture
cumpleaños, birthday
cumplir, to carry out
curarse, to recover (from sickness)
curso, course

D

daño, damage
dar, to give
de, of, from
debajo de, under
deber, to have to, must
débil, weak, feeble
decidir, to decide
décimo, tenth
decir, to say
dedo, finger
defender, to defend
defendido, defended
definición, definition
dejar, to leave, to let

delante de, before
de manera que, so, thus
demás, besides, to be useless or superfluous
demasiado, too much, too many
demostrar, to show
demostrativo, demonstrative
depositar, to deposit
derecho, right
derretir, to melt
desafortunadamente, unfortunately
desalentar, to discourage; to dismay
desayunar, to breakfast
descansar, to rest
descolgarse, to come down suddenly; to take down
desconocido, unknown
descubrir, to discover
desde, since
desear, to wish
deseo, wish
desesperado, desperate
desierto, desert
desmayarse, to faint
desocupado, vacant
despachar, to dispatch, send
despacio, slow
desprender, to loosen, remove
después, after
después de, after
desterrado, exiled
destruir, to destroy
desventaja, disadvantage
detener, to stop
detrás de, behind
devolver, to return; to refund
día, day
diálogo, dialogue
diario, daily
dibujar, to draw
diciembre, December
diente, tooth
diferencia, difference
diferente, different
difícil, difficult
dificultad, difficulty

digna, meritorious, worthy
dinero, money
diputado, deputy
dirección, address
disco, disk, record
discusión, discussion
discutir, to discuss
disperso-a, disperse
disponible, available
dispuesto, disposed, ready
distancia, distance
distinguir, to distinguish
distraído, inattentive, absent-minded
distrito, district
divertido, amusing, entertaining
divino, divine
doblar, to double, make double; to fold
doble, double, duplicate
docena, dozen
dolor, pain
doméstico, domestic
domingo, Sunday
donde, where
dondequiera, anywhere, wherever
dormir, to sleep
dormirse, to fall asleep
dormitar, to doze, nap
doscientos, two hundred
dudar, to doubt
dueño, owner
dulce, sweet
dulces, sweets, candy
durante, during
durar, to last
duro, hard

E

echar, to throw
eco, echo
ecuador, equator
edificio, building
ejemplo, example
ejercicios, exercises
ejército, army
el, the

101

él, he
ella, she
ellos (as), they
elocuente, eloquent
encaminarse, to set out
eminente, eminent
empequeñecer, to make smaller
empezar, to begin
empleo, job
en, in
enamorado, in love, fond of, enamored
encantar, to enchant
encender, to light
encontrar, to find
en cuanto, as soon as
enemigo, enemy
enero, January
enfadarse, to get angry
enfermarse, to get sick
enfermo, sick
enfrentar, to confront
en frente de, in front of
engañar, to deceive
enseñar, to teach
ensuciarse, to get dirty
entender, to understand
entereza, integrity
entonces, then
entrar, to enter
entre, between
entrega, to deliver
entusiasmo, enthusiasm
enumerar, to enumerate
en vez de, instead of
endivioso, envious
época, period
equivocarse, to make mistakes
error, error
es, is
escoger, to choose
escolar, pupil, student
esconder, to hide
escondido, hidden
escarmentar, to be taught by experience
escribir, to write
escritor, writer

escuchar, to listen
escuela, school
español, Spanish
espejo, mirror
esperar, to wait
espeso, thick, dense
esposo, husband
esquina, corner
establecer, to establish
estación, station, season
estar, to be
este, east; this
esto, this
estrecho, narrow
estudiante, student
estudiar, to study
estudio, study
estúpido, stupid
evocar, to evoke
exacto, exact
exagerado, exaggerated
exagerar, to exaggerate
examen, examination
excepto, except
exhibir, to exhibit
exigir, to require, to urge
experimento, experiment
explicación, explanation
extenso, extensive
exterior, exterior, outside
extranjero, foreign
extrañarse, to be surprised
extraño, strange
extraordinario, extraordinary

F

fábrica, factory
fabricar, to build, construct
fácil, easy
faltar, to lack
fama, fame
familia, family
famoso, famous
farmacéutico, pharmacist
farmacia, pharmacy
favor, favor

favorito, favorite
febrero, February
fecha, date
feliz, happy
femenino, feminine
feo, ugly
fértil, fertile
fiel, faithful
fiero, fierce
fiesta, feast
figura, figure
fijo, firm, settled
fin, end
final, final
finca, farm
fino, fine, thin
flor, flower
formar, to form
francés, French
frecuencia, frequency
freir, to fry
frío, cold
fruta, fruit
frutería, fruit store
fuego, fire
fuera, outside
fuerte, strong
fuerza, strength
fumar, to smoke
funciones, functions
futuro, future
fusilamiento, execution by
 shooting
fusilar, to execute by shooting

G

gallina, hen
gallo, cock
gana, desire
ganar, to win
gastar, to spend
gastos, expenses
gato, cat
gemir, to groan, moan
general, general
generalmente, generally
gente, people

gesto, gesture
gobierno, government
golpe, blow, stroke, hit
golpecito, light blow
gozar, to enjoy
gracia, wish
gracias, thanks
gracioso, funny; charming
grado, grade
gramática, grammar
grande, big
grano, grain, cereal
gratis, free
gris, gray
gritar, to shout, scream
grupo, group
guantes, gloves
guarda, guard, keeper, game-
 warden
guardar, to keep
guerra, war
gusano, worm
gustar, to like; to taste
gusto, taste; pleasure

H

haber, to have; to be
habitación, room
habitante, inhabitant
hábito, habit
hablar, to talk
hacer, to make, do
hacia, toward
hada, fairy
hambre, hunger
hasta, until
hay, there is, there are
hecho, done; fact
helado, ice-cream
hembra, female
hermana, sister
hermano, brother
herida, wound
hervir, to boil
hielo, ice
hierba, grass
hierro, iron

hija, daughter
hijo, son
hinchar, to swell
historia, story, history
hoja, leaf
hombro, shoulder
hongo, mushroom
honrado, honest
hora, hour
hormigas, ants
hospital, hospital
hotel, hotel
hoy, today
huella, track, footstep
huevo, egg
huir, to flee
humorista, humorist

I

idea, idea
idioma, language
idiota, idiot
ido, gone
iglesia, church
igual, same
ilustración, illustration
imitar, to imitite
importante, important
importar, to be important
imposible, impossible
impresionar to impress
improvisar, to improvise
impulso, impulse
inconveniente, inconvenient
incorrecto, incorrect
indicar, to indicate
indio, Indian
individual, individual
información, information
inglés, English
inmediatamente, immediately
inoportuno, inopportune
insecto, insect
insistir, to insist
inspección, inspection

instruir, to instruct
íntegro, entire, complete
inteligencia, intellect, mind
inteligente, intelligent
interés, interest
interesante, interesting
interior, interior
interjección, interjection
intérprete, interpreter
interrumpir, to interrupt
intervención, intervention
invierno, winter
invitar, to invite
ir, to go
irregular, irregular
izquierdo, left

J

jamón, ham
jardín, garden
jefe, leader
jirafa, giraffe
joven, young
joya, jewel, gem
jueves, Thursday
jugar, to play
julio, July
junio, June
junto, together

L

la, the
laboratorio, laboratory
labrador, farmer
ladrillo, brick
ladrón, thief
lago, lake
lágrima, tear
lámpara, lamp
lana, wool
lanza, lance, spear
lapicero, lead pencil, mechanical
  pencil
largo, long
lástima, pity
lavarse, to wash oneself

lección, lesson
leche, milk
lechuga, lettuce
leer, to read
legumbre, vegetable
lejano, distant, far
lejos, far
lentes, eyeglasses, lenses
lento, slow
león, lion
levantarse, to get up
ley, law
leyenda, legend
libra, pound
libre, free
libreta, small notebook
libro, book
limitar, to limit
limpiabotas, bootblack
limpiar, to clean
limpio, clean
lindo, pretty
línea, line
—de combate, combat line
lista, list
lodo, mud
lograr, to procure, succeed in
luego, later
  hasta luego, so long
  desde luego, of course
lugar, place
luna, moon
lunes, Monday
luz, light

LL

llamar, to call
llamarse, to call oneself
llegar, to arrive
lleno, full
llorar, to weep, cry
llover, to rain
lluvia, rain

M

madera, wood
madre, mother

maduro, ripe
magnífico, magnificent
mago, magician
maíz, corn
mal, harm; complaint
malestar, indisposition
maleta, valise
mandado, errand
mandar, to send; to order
manejar (un automóvil), to drive
manera, manner
mano, hand
mantequilla, butter
manzana, apple
manzano, apple tree
mañana, tomorrow; morning
máquina, machine
marca, mark
marcar, to mark
marearse, to get seasick
martes, Tuesday
marzo, March
más, more, most
masculino, masculine
masticar, to chew
matar, to kill
mayo, May
mayor, greater; older
mayoría, majority
mecanismo, mechanism
media, half; stocking
medicina, medicine
médico, doctor
medio, half, middle
mejor, better, best
melocotón, peach
melón, melon
memoria, memory
mencionar, to mention
menos, less, least
mensaje, message
mental, mental
mentiroso, liar
menú, menu
merecer, to deserve
mérito, merit, worth
mes, month
mesa, table

metal, metal
meter, to put in
metro, subway
miedo, fear
miel, honey
mientras, while
miércoles, Wednesday
mil, thousand
milla, mile
millón, million
millonario, millionaire
mina, mine, lead for a pencil
minuto, minute
mirar, to look
mismo, same
místico, mystic
moderno, modern
mojado, soaked, wet
modesto, modest
modificar, to modify
molestar, to annoy
molestia, annoyance, nuisance
molesto, annoying
momento, moment
moneda, coin
moraleja, moral
morder, to bite
morir, to die
mosca, fly
mostrador, counter
mostrar, to show
muchacha-o, girl, boy
mucho, much, many
mudarse, to move
mudo, mute
muerto, dead
mujer, woman
multicolor, multicolored
mundo, world
muñeca, doll; wrist
museo, museum
música, music
muy, very

N

nacer, to be born
nacionalidad, nationality

nada, nothing
nadie, nobody
naranja, orange
nariz, nose
natural, natural
naturaleza, nature
naturalidad, naturalness
necesario, necessary
necesidad, necessity
negarse, to refuse
negro, black
nervioso, nervous
nevar, to snow
nieve, snow
ninguno, none, not any
niño, child
noche, night
nombrar, to name
nombre, noun, name
no obstante, however
normal, normal
norte, north
nosotros (as), we
nota, note
notable, remarkable
notar, to notice
noticia, notice, information
novela, novel
noveno, ninth
novia, bride, sweetheart
noviembre, November
nube, cloud
nuevo, new
número, number
nunca, never

O

o, or
obtener, to get
océano, ocean
octavo, eighth
octubre, October
ocupado, busy
ocupar, to occupy
ochenta, eighty
ocho, eight
odiar, to hate

oeste, west
oficina, office
oficial, official, officer
oír, to hear
ojalá, I wish
olor, odor, smell
olvidar, to forget
ojo, eye
once, eleven
operadora, operator
oportunidad, opportunity
óptico, optic, optician
opuesto, opposed, opposite
oración, sentence
orador, orator
orden, order
ordinal, ordinal
ordenar, to order
orilla, shore, bank
oro, gold
oscuridad, darkness
oscuro, dark
oso, bear
otoño, autumm
otro, other

Q

padre, father
pagar, to pay
página, page
país, country
paisaje, landscape
pájaros, birds
pajarillo, small bird
palabra, word
pálido, pale
pan, bread
pañuelo, handkerchief
papa, potato
papel, paper
paquete, package
par, pair
para, for
paraguas, umbrella
parar, to stop
parecer, to look like
parecido, similar

pared, wall
parientes, relatives
parque, park
parte, part
particular, particular
pasaje, fare
pasar, to pass
pasear, to take a walk, ride, etc.
paseo, walk
pasillo, hall
pasivo, passive
pata, foot (of an animal)
patio, yard
patriota, patriot
pavo real, peacock
pedazo, piece
pedir, to ask for
peinarse, to comb oneself
pelar, to peel
pelear, to fight
peligro, danger
pelo, hair
pena, penalty, sorrow
pensar, to think
peor, worst, worse
pequeño, small
pera, pear
peral, pear tree
perder, to lose
perdición, ruin
pérdida, loss
perdido, lost
perezoso, lazy
periódico, newspaper
permanecer, to stay
permitir, to permit
pero, but
perplejo, perplexed
perro, dog
perseguir, to chase
persona, person
pertenecer, to belong
pesado, heavy
pescado, fish
pescar, to fish
pez, fish
picar, to prick; sting
pie, foot

a pie, on foot
al pie, at the foot
piedra, stone
pintor, painter
pintura, paint
piso, floor
plantar, to plant
plata, silver
plátano, banana
playa, beach
plegarse, fo fold
pluma (fuente), fountain pen
plural, plural
población, population
pobre, poor
poco, little
poder, to be able to
poesía, poetry
poeta, poet
poético, poetic
policía, police
pollito, chicken, chick
poner, to put
popularidad, popularity
poquito, very little
por, by
por lo tanto, therefore
porque, because
por qué, why
posdata, postscript
poseer, to possess
posible, possible
positivo, positive
práctica, practice
precio, price
preciso, necessary
preferir, to prefer
pregunta, question
preguntar, to ask
preocuparse, to worry
preparar, to prepare
preposición, preposition
presentar, to present
presente, present
presidente, president
presidio, penitentiary
prestar, to lend
pretérito, preterite

primavera, spring
primero, first
primo, cousin
principal, principal
prisa, hurry
privado, private
probablemente, probably
probar, to taste, try
problema, problem
profesor, professor
progreso, progress
progresivo, progressive
prohibir, to prohibit
prometer, to promise
pronombre, pronoun
pronto, quickly, soon
pronunciado, pronounced
pronunciación, pronunciation
propina, tip
propósito, purpose
provisión, provision
publicar, to publish
pueblo, town
puerta, door
puesto, place
pulsera, bracelet
punto, period, point

Q

que, what
quedarse, to stay, remain
querer, to love, want
querido, dear
quien, who
quince, fifteen
quinto, fifth

R

radio, radio
rana, frog
rara, rare, unusual, odd
rato, period, while
razón, reason
recibir, to receive
receptor, receiver
recoger, to gather

recomendar, to recommend
reconocer, to recognize
recordar, to remember, remind
rector, president of a university
recuerdos, regards
referirse, to refer
reflexivo, reflexive
refresco, refreshment
regalo, gift
región, region
registro, inspection, registry
regla, rule
regresar, to come back
regularidad, regularity
reírse, to laugh
relatar, to relate
reloj, watch, clock
remedio, remedy
remoto, remote
renombre, renown, fame
reparación, repairing, repair
reparar, to repair; to fix up
repetir, to repeat
resaltar, to stand out; to rebound
resbalar, to slide
reservación, reservation
resfriado, cold (disease)
respecto, relation
respetuoso, respectful
responder, to answer
respuesta, answer
restaurante, restaurant
resultar, to result
retoño, sprout
reventar, to burst
revista, magazine
rico, rich
río, river
ristra, string (as of sausages)
rival, rival
robar, to steal, rob
robo, robbery
rojo, red
romper, to break
ropa, clothes
rostro, face
roto, broken

ruido, noise

S

sábado, Saturday
saber, to know
sabor, taste, flavor
sacar, to take out
sal, salt
sala, parlor, hall, living room
salado, salty
salchicha, sausage
salir, to go out
saltamontes, grasshopper
saltar, to leap
salto, jump; spring
salón de conferencias, conference
  room
saludar, to greet
salvaje, wild, savage
seco, dry
secretaria, secretary
secundaria, secondary
sed, thirst
seguida, followed
  en seguida, immediately
seguir, to follow
segundo, second
seis, six
seguro, sure
sello, stamp
selva, forest, jungle
semana, week
semejante, similar
semilla, seed
sentado, seated
sentarse, to sit down
sentir, to feel
sentirse, to feel
señal, signal
señor, sir, gentleman, Mr.
señora, madam, Mrs.
señorita, girl, Miss
septiembre, September
séptimo, seventh
ser, to be
servir, to serve
sexto, sixth

sí, yes
siempre, always
siglo, century
significación, significance
significado, meaning
siguiente, following
silbar, to whistle
silla, chair
similar, similar
simpático, likable
simple, simple
sin, without
sin embargo, nevertheless
sinceridad, sincerity
sino, but, except
siquiera, at least, although
sirviente, waiter, servant
sitio, place; siege
situado, located
situar, to place
sobre, envelope; on
sofá, sofa
sol, sun, sunshine
solamente, only
solo, alone
sombra, shadow
sombrero, hat
somos, we are
son, they are
sonrisa, smile
sonar, to ring; to sound
sopa, soup
sordo, deaf
sorprenderse, to be surprised
sorprendida, surprised
sorpresa, surprise
sospechoso, suspect
soy, I am
subir, to rise, go up
subordinados, subordinates
suceder, to happen
sucio, dirty
Sudamérica, South America
sueldo, salary·
suelo, floor
sueño, sleep
suerte, luck
sufrir, to suffer

sugerir, to suggest
superlativo, superlative
suponer, to suppose
sur, south
Suramérica, South America
sustantivo, substantive
sustituto, substitute

T

tal, such, so, as, as much
tamaño, size
también, also, too
tampoco, neither, nor, either
tan, so
tan pronto como, as soon as
tanto, (adv.) so, in such a manner
      (adj.) so much, as much
tardar, to delay
tarde, late; afternoon
tarea, task, homework
tarjeta, card
taza, cup
teatro, theater
tela, cloth
telefónica, relating to the
      telephone
teléfono, telephone
temer, to fear
temperatura, temperature
temporada, season, period of
      time
temprano, early
tendero, shopkeeper
tener, to have
tenis, tennis
tercero, third
terminar, to end, finish
tesoro, treasure
testigo, witness
tía, aunt
tiempo, time, weather
tienda, shop
tiernamente, tenderly
tierra, earth; soil
timbre, bell
tímido, shy
tinta, ink
tío, uncle

titular, to entitle; headline
título, title
tocar, to touch; to play an
  instrument
todavía, yet, still
todo, all, everything
tomar, to take; to drink
tomate, tomato
tono, tone
tonto, stupid, foolish
toro, bull
tos, cough
tostada, toasted; toast
trabajar, to work
tradición, tradition
traducir, to translate
traer, to bring
tranquilo, quiet
transferencia, transfer
tras, behind
tratamiento, treatment
tratar, to try
trece, thirteen
tribu, tribe
tribuna, tribune
triste, sad
tropical, tropical
trucha, trout
truncado, truncated, cut off
tuerto, blind of one eye
turno, turn
tuyo, yours

U

último, last
una, one
único, unique
usar, to use
usted -es, you
útil, useful

V

vaca, cow
vacaciones, vacation
vacío, empty
valer, to be worth
valioso, valuable

valiente, valiant
vanagloriarse, to boast
vanidad, vanity
vanidoso, conceited
varios, various
vecino, neighbor
vegetal, vegetable
veinte, twenty
velo, veil
velocidad, speed
vender, to sell
verde, green
venir, to come
ventaja, advantage
ventana, window
ver, to see
verano, summer
verdad, truth
verdadero, true
vestido, dress
vestirse, to get dressed
vez, time
viajar, to travel
viaje, trip
vida, life
vidriera, shop window
vidrio, glass
viejo, old
viento, wind
viernes, Friday
vino, wine
visita, visit
vivir, to live
vocabulario, vocabulary
volar, to fly
volver, to return
vosotros, you
voz, voice
vuelta, turn, return

Y

y, and
ya, already
yo, I

Z

zapatos, shoes